Optimal A2

Lehrwerk für Deutsch als Fremdsprache

Intensivtrainer

von

Elke Burger

in Zusammenarbeit mit Birgitta Fröhlich und Virginia Gil

Langenscheidt

Berlin · München · Wien · Zürich · New York

Redaktion: Manuela Beisswenger
Visuelles Konzept, Layout: Ute Weber in Zusammenarbeit mit Theo Scherling
Umschlaggestaltung: Studio Schübel Werbeagentur; Foto Getty Images / V. C. L.
Zeichnungen: Christoph Heuer und Theo Scherling
Fotoarbeiten (soweit im Quellenverzeichnis nicht anders angegeben): Vanessa Daly

Optimal A1 – Materialien

Lehrbuch A2	47031
Audio-Kassetten A2	47034
Audio-CDs A2	47035
Arbeitsbuch A2	47032 mit eingelegter Lerner-Audio-CD
Lehrerhandbuch A2	47033 mit eingelegter Lehrer-CD-ROM
Intensivtrainer A2	47047
Testheft A2	47039 mit eingelegter Audio-CD
Glossar Deutsch-Englisch A2	47040
Glossar Deutsch-Französisch A2	47041
Glossar Deutsch-Italienisch A2	47042
Glossar Deutsch-Spanisch A2	47043
Lerner-CD-ROM A2	47038
Einstufungstest im Internet	

Symbole im Intensivtrainer Optimal A2

Ü 7   **Übung 7** in diesem Kapitel

→ A 7   Diese Übung gehört zu **Aufgabe 7** im Lehrbuch

Internetadressen:
www.langenscheidt.de/optimal
www.langenscheidt.de

Umwelthinweis: gedruckt auf chlorfrei gebleichtem Papier

© 2006 Langenscheidt KG, Berlin und München

Druck: Mercedes-Druck, Berlin
Printed in Germany
ISBN-13: 978-3-468-47047-9
ISBN-10: 3-468-47047-9

2006 07 08 09 10 · 5 4 3 2 1

Optimal A2

Intensivtrainer

Inhalt

Freiburg/Fribourg

Ü 1 Wie heißen die Wörter?

Eine Stadt
kennen lernen

→ A 1

Freiburg/Fribourg liegt in der (ceSwizh) _Schweiz_ (1), zwischen Bern und Lausanne. In Freiburg spricht man

zwei (Sarcnehp) _____ (2): Französisch und Deutsch. Die Stadt ist über 800 Jahre (tal) _____ (3).

In der Altstadt gibt es viele schöne alte (äsueHr) _____ (4). Es gab lange zwei (eTile) _____ (5) in

der Stadt – die Unterstadt: Hier haben die armen (eteuL) _____ (6) gewohnt, und die Oberstadt:

Hier haben die (cenhire) _____ (7) Leute gewohnt. In den letzten 30 Jahren hat sich die Stadt stark

(änverterd) _____ (8). Früher waren die Fabriken in der Stadt, (ehute) _____ (9) sind sie auf dem

Land. Heute ist das (eZurmtn) _____ (10) beim Bahnhof, (rfüehr) _____ (11) war es in der Altstadt.

Ü 2 Ergänzen Sie.

Informationen
sammeln und ordnen

→ A 5

Ich b_ _ allein du_ _ _ die S_ _ _t gega_ _ _n. Ich h_ _ _ in Gesi_ _t_ _ gese_ _ _ und die Lu_ _ gero_ _ _ _.

I_ P_rk h_b_ ich Ze_ _ _ _ _ gel_ _ _ _ und den V_g_ln zug_h_rt. D_ _ So_ _ _i_ _ lang_ _ _ unt_ _geg_ _ _ _ _.

Ü 3 Ergänzen Sie.

> den Markt • einer Stadt • spät • Die Sonne • eine Wurst • der Mond
> den Leuten • am Ufer • nichts • ruhiger Tag • Fluss

→ A 6

Ich war einmal in _____ (1). Ich bin zum

_____ (2) gegangen und habe _____ (3)

gesessen. Ich habe _____ (4) gemacht, nur

nachgedacht. Dann bin ich auf _____ (5)

gegangen. Ich habe _____ (6) gegessen

und _____ (7) zugehört. Dann bin ich

spazieren gegangen. Es ist _____ (8) geworden.

_____ (9) ist langsam untergegangen und

über der Stadt ist _____ (10) aufgegangen.

Es war ein schöner _____ (11).

Ü 4 Markieren Sie die Wörter und schreiben Sie die Sätze.

Über Sprachen sprechen

→ A 9

ich/heiße/dominique/ichbininsüdfrankreichaufgewachsenzuhausehabeichmit

meineelternmeistensdeutschgesprochenindenferienwarichoftbeimeinergroß-

mutterimelsassmitihrhabeichfranzösischunddeutschgesprochenspäterhabeich

infreiburgstudiertdorthabeichvielefreundeichmöchtegernnochitalienischlernen

Ich heiße Dominique.

_____

_____

_____

Ü 5 Wie heißen die Wörter? Ergänzen Sie.

1. das Rat *haus* _____
2. das Hoch_____
3. die Touristen_____
4. der Bahn_____

5. das Denk_____
6. der Park_____
7. das Kranken_____
8. die Alt_____

Die Stadt

→ A 14

Ü 6 Wie heißen die Wörter? Schreiben Sie die Wörter mit Artikel.

→ A 14

1. Hier kann man übernachten: _____
2. Hier gibt es frisches Obst und Gemüse: _____
3. Hier kann man ein Fußballspiel sehen: _____
4. Das ist eine kleine enge Straße: _____
5. Sie führt über eine Straße oder einen Fluss: _____
6. Es hat sehr viele Etagen: _____
7. Hier arbeiten Ärzte und Krankenschwestern: _____
8. Eine sehr große Kirche: _____

Ü 7 Welches Wort passt nicht?

Wortbildung:
trennbare Verben

→ A 15

1. aushören – zuhören – aufhören – mithören
2. vorlesen – ablesen – mitlesen – zulesen
3. mitsprechen – vorsprechen – wegsprechen – aussprechen
4. aufschreiben – wegschreiben – mitschreiben – abschreiben

Ü 8 Ergänzen Sie.

→ A 15

| aussprechen • aufmachen • ansehen • abschreiben • zumachen • ankommen |

1. Der Zug _____ um 13.45 Uhr am Hauptbahnhof ____. 2. Darf ich mir die Fotos auch

_____? 3. Ein schwieriges Wort! Wie _____ man es _____? 4. Türen kann man

_____ und _____. 5. Bitte _____ Sie die Sätze von der Tafel ____.

Ü 9 Ergänzen Sie „und", „aber" oder „denn".

Hauptsatz +
Hauptsatz

→ A 22

1. Ich habe in der Schule Englisch gelernt, _____ (1) es hat keinen Spaß gemacht. Später habe ich

   6 Monate in England gearbeitet _____ (2) dort einen Sprachkurs gemacht.

2. Chantal ist in Südfrankreich aufgewachsen, _____ (3) sie hat mit ihrer Familie nur Deutsch gesprochen.

   Peter spricht mit seinen Eltern Deutsch und Polnisch, _____ (4) seine Mutter ist Polin _____ (5) sein

   Vater ist Deutscher.

3. In Freiburg/Fribourg spricht man offiziell Französisch und Deutsch, _____ (6) auf der Straße hört man

   auch viele andere Sprachen. Die Studentinnen und Studenten mögen die Stadt, _____ (7) sie ist

   spannend und international.

Ü 10 Schreiben Sie Sätze mit „und", „aber" oder „denn".

→ A 22

1. zum Arzt gehen – krank sein

   Ich gehe _____

2. gerne Wein trinken – gerne Pizza essen

   _____

3. kein Auto haben – ein Fahrrad haben

   _____

4. Fenster aufmachen – Luft ist schlecht

   _____

Ü 11 Was erzählt Volker? Schreiben Sie.

a) Volker ist in Köln

angekommen.

Er erzählt, er ist zuerst in

die Stadt gegangen

und hat ein Hotel

gesucht.

Er sagt, er ist danach

zum Dom gegangen,

denn den wollte er schon

lange einmal sehen.

Volker:

Ich bin … _____

_____

_____

_____

_____

_____

_____

_____

_____

Redewiedergabe

→ A 24

b) Volker sagt/erzählt, *er ist …* _____

_____

_____

_____

_____

_____

_____

Dann bin ich am Rhein spazieren gegangen

und habe ein Museum besucht.

Die Ausstellung war sehr interessant.

Ich hatte ein bisschen Hunger,

habe mir in der Fußgängerzone

ein Sandwich gekauft

und habe eine Pause gemacht.

Ü 12 Was passt? Schreiben Sie die Sätze auch im Präsens.

		die Luft	gegangen	Wiederholung: Perfekt
		auf einer Bank	gerochen	→ A 25
	bin	ein Museum	gesessen	
Ich		(mich)	mit dem Bus	gesucht
		in ein Café	gefahren	
	habe	wohl	besucht	
		ein Hotel	gefühlt	

Ich bin _____

_____

_____

Ihre Sprache. Schreiben Sie.

Nomen

Bank, die, "-e	_____	Kultur, die, -en	_____
Brücke, die, -n	_____	Lachen, das	_____
Denkmal, das, "-er	_____	Mehrheit, die, -en	_____
Dom, der, -e	_____	Mond, der, -e	_____
Einwohner, der, -	_____	Natur, die	_____
Einwohnerin, die, -nen	_____	Schloss, das, "-er	_____
Frucht, die, "-e	_____	Seele, die, -n	_____
Gefühl, das, -e	_____	Sinn, der, -e	_____
Gegend, die, -en	_____	Stern, der, -e	_____
Gegensatz, der, "-e	_____	Stimme, die, -n	_____
Geschichte, die, -n	_____	Tal, das, "-er	_____
Gewürz, das, -e	_____	Tier, das, -e	_____
Herz, das, -en	_____	Ufer, das, -	_____
Hochhaus, das, "-er	_____	Veränderung, die, -en	_____
Hund, der, -e	_____	Verliebte, der/die, -n	_____
Industrie, die, -n	_____	Vogel, der, "-	_____
Katze, die, -n	_____	Weinen, das	_____

Verben

fühlen	_____	organisieren	_____
kombinieren	_____	streiten	_____
nachdenken	_____	umarmen	_____

Andere Wörter

einsprachig	_____	spannend	_____
farbig	_____	später	_____
mehrsprachig	_____	unbekannt	_____
mindestens	_____	vielsprachig	_____
niemand	_____	zu Fuß	_____
offen	_____	zum Beispiel	_____
offiziell	_____	zweisprachig	_____

**Ü 13 Sammeln Sie Wörter und Ausdrücke.
Benutzen Sie auch die „Wortschatz-Hitparade".**

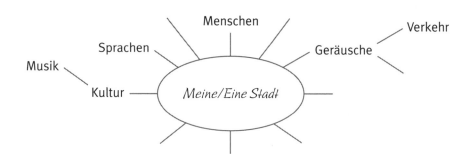

Wörter
thematisch
ordnen

Ü 14 Schreiben Sie in Ihrer Sprache.

Ihre Sprache:

Wichtige Sätze
und Ausdrücke

Auf dem Foto sieht man links hinten …	_____
Was ist das hier vorne?	_____
Wie heißt das auf Deutsch?	_____
Ich war einmal in …	_____
zu Fuß gehen	_____
Was riecht hier so?	_____
Was machst du / machen Sie hier?	_____
Wirklich?	_____
Das ist ja toll!	_____
Ich finde das super.	_____
Welche Sprachen sprichst du / sprechen Sie?	_____
Was sprecht ihr / sprechen Sie in der Familie?	_____
Komm/Kommt doch mal her!	_____

Ü 15 Meine Wörter und Sätze. Schreiben Sie.

Ein Leben – ein Traum

Ü 1   Schreiben Sie einen Text.

Eine Geschichte
erzählen

→ A 3

Gundi Görg – Grissenbach – acht Jahre – Schule – Lehre machen –
Industriekauffrau werden – mit 18 Freund kennen lernen – mit 21 heiraten –
bei den Schwiegereltern – auf dem Land wohnen – viel arbeiten –
ihr Mann mit diesem Leben zufrieden – sie nicht glücklich

Gundi Görg ist in Grissenbach ...

_____

_____

_____

_____

_____

Ü 2   Schreiben Sie Sätze.

→ A 3

1. Gundi – Stelle – eine – bei – gefunden – gute – hat – Mercedes

   Gundi _____

2. genau – hat – Geld – gewusst – glücklich – macht – Sie – dass – nicht – allein

   Sie _____

3. wird – dass – Gundi – alles – geträumt – anders – immer – hat – einmal

   Gundi _____

4. Sie – dass – dem – sie – frei – sich – auf – gefühlt – hat – sagt – Land – nicht

   Sie _____

5. Fernsehen – Mit – im – Sendung – über – international – eine – hat – Gundi – 30 – Amnesty – gesehen

   Mit _____

6. sie – Ihr – dass – ein – wollte – war – neues – klar – Leben – plötzlich

   Ihr _____

Ü 3   Ordnen Sie zu.

Eine Geschichte erzählen

→ A 4a

1. _C_ Gundi hat sich

2. ___ Sie hat am Tag Werbung für Autos gemacht

3. ___ Das hat ihr

4. ___ Sie hat bei

5. ___ Dann ist sie

6. ___ Sie war zum ersten Mal

7. ___ Sie wollte

A   Mercedes aufgehört.

B   nach Madrid gefahren und hat Spanisch gelernt.

C   von ihrem Mann getrennt.

D   in ihrem Leben allein im Ausland.

E   nach Lateinamerika.

F   und in der Freizeit für Amnesty international gearbeitet.

G   gut gefallen, denn sie hat sich schon immer für Politik interessiert.

Ü 4   Ergänzen Sie.

→ A 4b

Amnesty international • Demokratie • gesehen • ihr Traum • Zusammen • interessant
Berge • sehr schön • Monate • Leuten aus Chile • nicht immer • Natur • Meer

Plötzlich war _____ _____ (1) Realität. Ein paar _____

(2) später ist sie nach Chile gefahren und hat dort längere Zeit für

_____ _____ (3) gearbeitet. _____ (4)

mit vielen Kollegen von Amnesty und _____ _____

_____ (5) hat sie für _____ (6), Frieden und Frei-

heit gearbeitet. Die politische Arbeit war sehr _____ (7),

aber _____ _____ (8) leicht. Sie hat sehr viel erlebt und _____ (9), auch das Land mit

seinen Kontrasten. Die _____ (10) ist _____ _____ (11) und faszinierend: hohe _____ (12)

und direkt daneben das _____ (13).

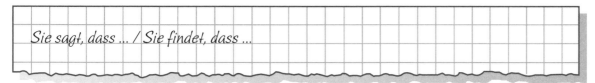

Ü 5   Schreiben Sie die Sätze aus Ü 4 mit „dass".

Beispiel: _Gundi erzählt, dass ihr Traum plötzlich Realität war und dass ..._

→ A 5

Sie sagt, dass ... / Sie findet, dass ...

Ü 6   Was ist falsch? Korrigieren Sie und schreiben Sie den Text richtig.

Biographische
Notizen

→ A 6

Nach einem Jahr hat Gundi wieder in Deutschland zurückgefahrt, aber wollte sie auch in Deutschland wieder in der Politik arbeiten. Er hatte Glück und ist bei der Partei „Bündnis 90/Die Grünen" eine Stelle gebekommen. Gundi hat noch einmal verheiratet und eine Kind bekommen. Später möchte er mit ihrem Mann und ihrem Sohn zusammen noch einmal in Lateinamerika fahren.

Nach einem Jahr ist

_____

_____

_____

_____

Ü 7   Suchen Sie 22 Wörter/Wendungen zum Thema „Leben" (nur waagerecht) und notieren Sie.

Leben

→ A 11

F	J	A	L	G	E	B	O	R	E	N	S	E	I	N	T	P	Ä	R	L	E	B	E	N	V
M	A	R	B	E	I	T	E	N	T	L	O	S	T	U	D	I	E	R	E	N	M	W	E	U
M	Q	T	I	N	D	I	E	S	C	H	U	L	E	G	E	H	E	N	P	E	N	M	I	R
T	R	Ä	U	M	E	H	A	B	E	N	P	Q	D	H	E	I	R	A	T	E	N	L	M	B
I	R	A	U	F	W	A	C	H	S	E	N	M	S	U	M	Z	I	E	H	E	N	P	Ü	L
M	O	T	P	E	I	N	E	L	E	H	R	E	M	A	C	H	E	N	Ö	P	U	Z	V	W
M	I	K	I	N	D	E	R	H	A	B	E	N	T	Z	H	R	E	I	S	E	N	V	C	S
P	Ö	T	E	G	L	Ü	C	K	L	I	C	H	S	E	I	N	Ö	L	B	R	T	U	Z	I
E	F	I	Z	U	F	R	I	E	D	E	N	S	E	I	N	K	Ö	Z	R	S	W	A	R	T
L	K	M	Z	R	W	P	R	O	B	L	E	M	E	H	A	B	E	N	L	Ä	E	S	Q	C
K	E	N	N	E	N	L	E	R	N	E	N	P	O	Z	F	L	I	E	B	E	N	B	C	S
R	S	I	C	H	T	R	E	N	N	E	N	L	K	M	T	W	O	H	N	E	N	W	A	C
M	T	U	E	I	N	E	F	A	M	I	L	I	E	H	A	B	E	N	Ö	L	M	B	C	D
L	O	Z	E	R	W	E	G	G	E	H	E	N	D	E	R	W	C	B	J	K	P	Ü	L	T
J	L	M	G	R	A	E	R	A	R	B	E	I	T	S	L	O	S	S	E	I	N	L	Z	R

1. *geboren sein,* **2.** *leben,* **3.**

_____

_____

_____

Ü 8   Ergänzen Sie Wörter aus Ü 7.

Zeitinformationen

→ A 11, A 12

Ich heiße Patrick Spycher und komme aus Winterthur, das liegt in der Nähe von Zürich. Ich bin hier

_geb_____ (1) und _auf_____ (2). In der Schule hatte ich _Pro_____ (3), denn ich war

schwarz und alle anderen waren weiß. Deshalb wollte ich schon als Kind immer weggehen, _rei_____ (4)

und die Welt sehen. Mein Vater ist aus Mali. Er ist 1974 in die Schweiz gekommen, aber er war hier nicht

_glü_____ (5). Er hat sich bald von meiner Mutter _get_____ (6) und ist nach Mali zurückgegan-

gen. Ich bin allein bei meiner Mutter aufgewachsen. Mit 16 habe ich eine _Le_____ (7) als Programmierer

gemacht, und danach habe ich _gea_____ (8) und Geld _ver_____ (9). Mit 22 habe ich mit wenig

Geld eine Weltreise gemacht – es war super. Mit dreiundzwanzig bin ich wieder zurückgekommen. Im

gleichen Jahr habe ich meine Frau _ken_____ _____ (10). Es war „Liebe auf den ersten Blick".

Zwei Jahre später haben wir _geh_____ (11). Heute lebe ich hier in Zürich, ich bin _zu_____ (12)

und glücklich mit meiner Familie.

Ü 9   Ergänzen Sie „werden".

Verb „werden"

→ A 17

1. Sie hat gesagt, dass sie ihm jeden Tag schreiben _____. 2. Wenn ich nichts esse, _____ ich

schnell müde. 3. Ich habe Radio gehört: das Wetter _____ wieder schlechter. 4. Du siehst nicht gut

aus. _____ du krank? 5. In meiner Familie _____ die Leute sehr alt.

Ü 10 Schreiben Sie Sätze mit „dass".

Satz: Nebensatz
mit „dass"

→ A 20

1. Der Film war langweilig.   *Peter hat gesagt, dass* _____

2. Das Restaurant ist teuer.   *Wir glauben,* _____

3. Er bekommt den Job.   *Er hofft,* _____

4. Meine Kinder sind wunderbar.   *Ich finde,* _____

5. Das ist ganz normal.   *Es kann sein,* _____

Ü 11 Ergänzen Sie.

Textreferenz:
Demonstrativ-Artikel
„dies-"

→ A 21

1. Hast du dies___ Frau schon einmal gesehen? 2. Wir wohnen schon zehn Jahre in dies___ Wohnung.

3. Dies___ CDs finde ich super! 4. Dies___ Mann werde ich heiraten! 5. Dies___ Pullover gefällt mir am

besten. Den nehme ich.

2

Ihre Sprache. Schreiben Sie.

Wortschatz-Hitparade

Nomen

Abitur, das	_____	Politik, die	_____
Biographie, die, -n	_____	Popmusik, die	_____
Engagement, das, -s	_____	Professor, der, -en	_____
Faschismus, der	_____	Rebellion, die, -en	_____
Industriekauffrau,		Rückkehr, die	_____
die, -en	_____	Stelle, die, -n	_____
Krieg, der, -e	_____	Tradition, die, -en	_____
Lehre, die, -n	_____	Traum, der, "-e	_____
Medizin, die	_____	Vermutung, die, -en	_____
Meinung, die, -en	_____	Weltreise, die, -n	_____
Mitarbeiterin, die, -nen	_____	Werbung, die, -en	_____
Nobelpreis, der, -e	_____	Wirklichkeit, die	_____
Organisation, die, -en	_____	Zeitinformation,	
Partei, die, -en	_____	die, -en	_____

Verben

engagieren (sich)	_____	trennen (sich)	_____
entdecken	_____	verändern	_____
formulieren	_____	verlieben (sich)	_____
kritisieren	_____	werden	_____
sterben	_____	zurückgehen	_____
träumen	_____	zurückkommen	_____

Andere Wörter

damals	_____	plötzlich	_____
glücklich	_____	politisch	_____
hart	_____	rebellisch	_____
jung	_____	sozial	_____
klar	_____	wahr	_____
musikalisch	_____	wirkungsvoll	_____
neugierig	_____	wunderschön	_____
pazifistisch	_____	zeitlich	_____

Ü 12 Sammeln Sie Wörter und Ausdrücke.
Benutzen Sie auch die „Wortschatz-Hitparade".

Mein Leben / Meine Träume

Wörter
thematisch
ordnen

Ü 13 Schreiben Sie in Ihrer Sprache.

Ihre Sprache:

Wichtige Sätze
und Ausdrücke

Was möchtest du / möchten Sie mal machen? _____

Was denkst du / denken Sie? _____

Ich denke, dass ... _____

Es kann sein, dass ... _____

Es ist möglich dass ... _____

Ich finde interessant, dass ... _____

Wo bist du / sind Sie aufgewachsen? _____

Was ist dein/Ihr Traum? _____

Das war im Jahr ... _____

Ich war damals 20. _____

Mit 19 ... _____

Vor zehn Jahren ... _____

In zehn Jahren ... _____

Ü 14 Meine Wörter und Sätze. Schreiben Sie.

Ü 1   Ergänzen Sie.

Situationen unterwegs verstehen

→ A 2

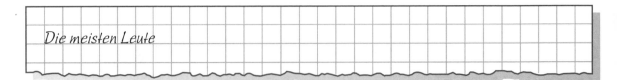

1. ● Scha_ _, da_ _ i_r sch_n fa_ _en m_ _st.

   ○ Ja, wi_k_ _ch sc_ _de, ab_ _ wir k_ _ _en ja i_ H_rb_t wie_ _ _.

2. ● En_ _ch_l_ _g_ _g.

   ○ Ja, b_t_ _?

   ● Ich h_b_ g_ _ade d_n Z_ _ n_ _h Hannover v_r_a_st. W_ _n fä_ _ _ der nä_ _ _te, bitte?

Ü 2   Ergänzen Sie.

→ A 2

schneller • Herren • Verspätung • fahren • *ICE* • Regionalzug
Fahrgäste • Abfahrt • sicher • Gleis • Entschuldigung • teurer • Minuten

1. ● Wenn Sie mit dem _____ (1) über Zürich _____ (2), dann sind Sie um halb elf in Basel.

   ○ Ist der ICE nicht _____ (3)?

   ● Ja, _____ (4). Aber der ist auch _____ (5).

2. Gleis 4, an alle _____ (6) nach Prag: Meine Damen und _____ (7), der _____ (8) nach Prag, fahrplanmäßige _____ (9) um 12.48 Uhr auf _____ (10) 4, hat circa 25 _____ (11) _____ (12). Wir bitten alle Fahrgäste um _____ (13).

Ü 3   Markieren Sie die Wörter und schreiben Sie die Sätze.

Informationen zum Thema „Bahnhof"

→ A 3

die/meisten/leute/denkenbeimwortbahnhofzuerstanfahrplänezügeoderschwerekofferunddasistauchnormal
bahnhöfewarenschonimmerortefürbegegnungenbahnhöfeingroßstädtensindheutemehralsnurtreffpunkteine
inemgroßenbahnhofkannmanheuteeinkaufenwieineinemeinkaufszentrumbahnhöfeingroßstädtensindheute
auchortefürkonsumundkultur

Die meisten Leute

Ü 4 Ordnen Sie die Sätze.

1. **a)** ___ in der Natur unterwegs. In den Bergen ist

   b) ___ Bergen. Im Frühling und im Herbst sind wir

   c) ___ kein Stau und die Natur kennt keinen Stress.

   d) _1_ Mein Mann und ich, wir wandern gern in den

2. **a)** ___ will ich meine Ruhe haben und zu Hause bleiben.

   b) ___ an meine Arbeit. Ich bin Busfahrer und

   c) ___ Ich reise gar nicht gern. Da denke ich nur

   d) ___ jeden Tag unterwegs. Wenn ich frei habe,

Meinungen äußern

→ A 5

Ü 5 Wie heißen die Wörter?

1. die nenaP _____

2. der aBnheigts _____

3. die Afbhtra _____

4. der eiswAus _____

5. die bnAuahto _____

6. der autS _____

7. das peGäkc _____

8. der saPs _____

9. repsa**v**sen _____

10. t**s**arten _____

11. menn**a**kom _____

12. tiene**m** _____

13. b**a**lohen _____

14. nent**a**k _____

15. iebfl**a**gen _____

16. t**s**e**i**ngeien _____

Gute Reise!

→ A 10

Ü 6 Ordnen Sie zu.

1. _E_ einen Freund zum

2. ___ an der Grenze den

3. ___ am Bahnsteig auf

4. ___ 20 Minuten Verspätung

5. ___ das Flugzeug

6. ___ eine Freundin am

7. ___ ein Auto

8. ___ nach links

9. ___ das Auto

A mieten

B verpassen

C auf die Fähre fahren

D abbiegen

E Bahnhof bringen

F Pass zeigen

G den Zug warten

H haben

I Flughafen abholen

Tätigkeiten unterwegs

→ A 10, A 11

Ü 7 Ergänzen Sie den Komparativ.

Adjektive:
Komparativ
(prädikativ)

→ A 17

1. Ich fahre _____ (gern) mit dem Auto als mit dem Zug. **2.** Zug fahren ist viel _____ (bequem) als Auto fahren. **3.** Ich gehe viel zu Fuß und fahre mit dem Fahrrad. Das ist _____ (gut) für die Umwelt. **4.** Ich fliege gern, und innerhalb Deutschlands ist das manchmal sogar _____ (billig) als mit dem Zug oder mit dem Auto. **5.** Ich liebe die ICEs, die sind viel _____ (schnell) und _____ (modern) als Regionalzüge. **6.** Ich fahre gern Auto, leider ist das Benzin heute viel _____ (teuer) als früher. **7.** Wenn ich mit dem Zug nach Stuttgart fahre, bin ich 30 Minuten _____ (schnell) als mit dem Auto.

Ü 8 Adjektive. Ergänzen Sie.

Vergleich

→ A 18

groß • gesund • klein • gut • alt • gern • laut • viel

1. Mein Vater ist fünf Jahre ä_ _ _ _ als meine Mutter. **2.** Ich bin zehn Zentimeter k_ _ _ _ _ _ als mein Bruder. **3.** Meine Schwester ist genauso g_ _ _ wie ich. **4.** Unsere neue Wohnung im Zentrum ist leider viel l_ _ _ _ _ als die alte. **5.** Berlin hat viel m_ _ _ Einwohner als München. **6.** Sie spricht Französisch genauso g_ _ wie Englisch. **7.** Ich esse g_ _ _ Schokolade, aber Obst ist viel g_ _ _ _ _ _ _. **8.** Er ist noch krank, aber es geht ihm schon b_ _ _ _ _.

Ü 9 Ergänzen Sie „weil" oder „denn".

Satz: etwas
begründen mit
„weil"
oder „denn"

→ A 19

1. Ich fahre mit dem Bus zur Arbeit, _____ ich stehe nicht gern im Stau. **2.** Ich brauche ein Auto, _____ ich auf dem Land lebe. **3.** Wir wandern gern in den Bergen, _____ die Natur kennt keinen Stress. **4.** Ich kaufe nicht im Bahnhof ein, _____ es da teurer ist als im Supermarkt. **5.** Ich muss mich beeilen, _____ ich habe in einer Viertelstunde einen Termin. **6.** Mein Auto ist in der Werkstatt, _____ ich hatte gestern eine Panne. **7.** Ich habe mich geärgert, _____ der Zug eine Stunde Verspätung hatte.

Ü 10 Schreiben Sie Sätze.

1. bin – ich – weil – Autofan

_____, fahre ich ein schönes Auto.

2. lieber – ich – Rad – fahre – weil

Ich habe kein Auto, _____

3. es – weil – wärmer – dort – ist

Ich bin gern im Süden, _____

4. kann – da – man – lernen – weil – viel

Ich reise gern, _____

5. Busfahrer – bin – weil – ich

_____, bleibe ich

in meiner Freizeit gern zu Hause.

Satz: Nebensatz
mit „weil"

→ A 19

Ü 11 Schreiben Sie Sätze mit „weil".

1. Computer kaputt – keine E-Mails schicken können
2. viel arbeiten – abends sehr müde
3. zu dick sein – kein Bier mehr trinken
4. sich krank fühlen – zum Arzt gehen
5. Leute kennen lernen wollen – einen Tanzkurs machen
6. eine große Reise machen wollen – sparen

Nebensatz vor
Hauptsatz

→ A 20

1. Weil mein Computer kaputt ist, kann ich keine E-Mails schicken.

Ü 12 Ergänzen Sie „weil", „denn", „dass" oder „wenn".

Petra studiert und arbeitet viel, _____ (1) sie hat einen Traum. _____ (2) sie mit dem Studium fertig

ist, möchte sie eine Weltreise machen. Sie möchte zuerst mit der Eisenbahn von Moskau nach Peking fah-

ren. _____ (3) sie ein paar Monate in China bleiben möchte, lernt sie Chinesisch, _____ (4) sie möchte

die Menschen dort verstehen und mit ihnen sprechen können. Petra hofft sehr, _____ (5) ihr Freund mit-

kommt.

→ A 19, A 20

Ihre Sprache. Schreiben Sie.

Nomen

Abflug, der, "-e	_____	Gleis, das, -e	_____
Abteil, das, -e	_____	ICE (Intercityexpress-	
Anschluss, der, "-e	_____	zug), der, -s	_____
Ausweis, der, -e	_____	Konsum, der	_____
Autobahn, die, -en	_____	Kreditkarte, die, -n	_____
Automat, der, -en	_____	Lebensqualität, die	_____
Bahnhofshalle, die, -n	_____	Panne, die, -n	_____
Bahnsteig, der, -e	_____	Regio, der	
Begegnung, die, -en	_____	(= Regionalzug)	_____
Busbahnhof, der, "-e	_____	Regionalzug,	
Bushaltestelle, die, -n	_____	der, "-e (= Regio)	_____
Fähre, die, -n	_____	Schaffner, der, -	_____
Fahrgast, der, "-e	_____	Speisewagen, der, -	_____
Faszination, die	_____	Unfall, der, "-e	_____
Führerschein, der, -e	_____	Vergleich, der, -e	_____
Gepäck, das	_____	Zoll, der, "-e	_____
Geschäftsleute (Pl.)	_____		

Verben

abbiegen	_____	halten	_____
abfliegen	_____	reparieren	_____
beeilen (sich)	_____	tanken	_____
erreichen	_____	verpassen	_____

Andere Wörter

besetzt	_____	langweilig	_____
fahrplanmäßig	_____	mehrere	_____
gefährlich	_____	multifunktional	_____
genauso	_____	ökologisch	_____
gültig	_____	tagelang	_____
ideal	_____	vielseitig	_____
innen	_____		

**Ü 13 Sammeln Sie Wörter und Ausdrücke.
Benutzen Sie auch die „Wortschatz-Hitparade".**

Wörter
thematisch
ordnen

Ü 14 Schreiben Sie in Ihrer Sprache.

	Ihre Sprache:	Wichtige Sätze und Ausdrücke
Wann fährt der nächste Zug nach ..., bitte?		
Muss ich umsteigen?		
Vielen Dank für die Auskunft.		
Ich bitte um Entschuldigung.		
Mach's / Macht's / Machen Sie es gut!		
Gute Reise!		
Ich fahre lieber ..., weil ...		
Ich bin gegen ..., weil ...		
Ein Vorteil ist, dass ...		
Ein Nachteil ist, dass ...		
Das ist mir egal.		

Ü 15 Meine Wörter und Sätze. Schreiben Sie.

Ü 1 Steckbrief. Ergänzen Sie die Vokale.

Über Ausbildung
sprechen

→ A 2

H_llo, _ch h_ _ß_ Fabian Krüger und b_n 15 J_hr_ _lt. _ch g_h_ n_ch
in die Sch_l_ und b_s_che das Gymn_si_m. M_nchm_l ist _s sch_n
ein b_sschen l_ngwe_l_g, ab_r di_ meist_n L_hr_r s_nd _n _rdn_ng.
Me_ne Li_bl_ngsfäch_r s_nd G_sch_chte, Bi_log_e und M_th_m_tik.
In m_ _ner Fre_z_it m_che ich M_s_k. Ich sp_ _le Sax_ph_n in uns_r_r
Schül_rb_nd. A_ßerd_m b_n ich _n e_n_r V_de_gr_ppe. D_s ist echt
c_ _l. W_r dreh_n k_rze F_lme und schneid_n si_ s_lbst _m C_mp_t_r.
All_ zwei J_hr_ k_nn m_n uns_re F_lm_ d_nn in ein_m kl_ _nen K_n_
s_hen. In der B_nd _nd in d_r Vid_ _gr_ppe s_nd a_ch m_ine Fr_ _nde.
Das ist t_ll, we_l wir da r_chtig vi_l Sp_ß h_b_n. Wir h_ben auch ein_n
„Man_ger": mein_n Op_. D_r ist sup_rn_tt. Er h_t auch d_s K_no
org_nisi_rt. W_s _ch n_cht m_g ist, w_nn L_ _te schl_chte Laune h_ben, nur rums_tzen und n_chts t_n.
D_s n_rvt m_ch. Ein_n B_r_fsw_nsch hab_ ich n_ch n_cht. M_sik_r, F_lmemacher, Ing_nie_r? Ich w_ _ß es
noch n_cht. Zu_rst m_che ich d_ _ Sch_le z_ End_.

Ü 2 Lesen Sie Ü 1 und ergänzen Sie den Steckbrief.

→ A 2

Steckbrief

Name:	_____
Alter:	_____
Schule:	_____
Lieblingsfächer:	_____
Hobbys:	_____
Das mag er:	_____
Das nervt ihn:	_____
Das möchte er werden:	_____

Ü 3 Lesen Sie A 4 (Lehrbuch S. 31). Richtig oder falsch? Kreuzen Sie an.

	R	F
1. Eva hat ein Praktikum in der italienischen Schweiz gemacht.	☐	☐
2. Mit der fremden Sprache hatte sie keine Probleme.	☐	☐
3. Einige Kollegen haben mit ihr Deutsch gesprochen und ihr geholfen.	☐	☐
4. Sie konnte ihr Französisch schnell verbessern.	☐	☐
5. Mit vielen Kollegen hat Eva sich mit Händen und Füßen unterhalten.	☐	☐
6. Das Motto „Der Gast ist König" findet Eva sehr angenehm.	☐	☐
7. Sie hat gut verdient.	☐	☐
8. Die Arbeit war sehr interessant.	☐	☐

Einen kurzen
Bericht verstehen

→ A 4

Ü 4 Schreiben Sie Sätze.

1. wollten – Meine – ich – mache – Eltern – Abitur – dass

   _____

Über Studium und
Beruf sprechen

→ A 6

2. ich – Weil – arbeiten – ich – Lehre – gemacht – wollte – habe – eine

   _____

3. Gärtner – geworden – Ich – bin

   _____

4. als – arbeite – Jetzt – ich – Biologie – Gärtner – im – Projekt „Bodenschutz" – studiere – und

   _____

5. Studium – Arbeit – Ich – der – tolle – in – und – Spaß – habe – das – Natur – macht – eine

   _____

Ü 5 Wie heißen die Fragen?

1. *Wo* _____   Ich arbeite bei der Firma ...   → A 6

2. _____   Ich studiere an der Universität in ...

3. _____   Vorlesungen besuche ich nicht so gern.

   _____   Ich finde Seminare interessanter.

4. _____   Ich mache das seit ...

5. _____   Ja, meistens macht meine Arbeit Spaß.

4

Ü 6 Ergänzen Sie.

Zeitsignale

→ A 9

schon zwei Stunden • Zuerst • immer • Nach der Schule
Nach einiger Zeit • Ein Jahr später • im Jahr 1999
sehr früh am Morgen • 2002

Mirna Jukic ist meine Klassenkameradin in der Schule. Wir besuchen das Sportgymnasium in Wien. Mirna ist _____ (1) zu uns in die Klasse gekommen. _____ (2) hat sie noch nicht sehr gut Deutsch gesprochen, aber sie hat sehr schnell gelernt. Sie ist _____ (3) schnell. _____ (4) hatte sie schon sehr gute Noten. Sie steht schon _____ (5) auf. Wenn sie in die Schule kommt, hat sie _____ (6) trainiert. _____ (7) geht sie wieder zum Training. Mirna hat viele Erfolge. _____ (8) war sie schon Zweite bei den Weltmeisterschaften. _____ (9) hat sie bei den Europameisterschaften gewonnen.

Ü 7 Wie heißen die Fächer? Schreiben Sie.

Stundenplan und Fächer

→ A 11

1   2   3   4   5   6

_____ _____ _____ _____ _____ _____

7   8   9   10   11

_____ _____ _____ _____ _____

Ü 8 Was passt? Schreiben Sie. (Manchmal gibt es mehrere Möglichkeiten.)

Schule und Studium

→ A 13

machen • lernen • beginnen • bekommen • schreiben • besuchen • wählen

1. das Abitur _____
2. eine Arbeit _____
3. Fremdsprachen _____
4. ein Studium _____
5. Noten _____
6. eine Ausbildung _____
7. lesen _____
8. das Zeugnis _____
9. einen Test _____
10. Seminare/Vorlesungen _____
11. Ferien _____
12. Englisch _____

Ü 9 Ergänzen Sie.

1. Mittwoch ist ein gut___ Tag für Eva. 2. Frau Meier ist eine nett___ Lehrerin. 3. Ein paar Lehrer machen einen gut___ Unterricht. 4. Eva hat auch praktisch___ Fächer wie Kochen. 5. In der Schweiz wohnt sie bei einer nett___ Familie. 6. Herr Schmid war kein gut___ Schüler. 7. Er hat jetzt eine toll___ Arbeit. 8. Er hat wenig Zeit, denn er lernt für eine wichtig___ Prüfung. 9. Fabian hat einen supernett___ Opa. 10. Die Filme seiner Videogruppe kann man in einem klein___ Kino sehen.

Adjektive: Deklination nach unbestimmtem Artikel

→ A 19

Ü 10 Ergänzen Sie.

→ A 19

Im Hotel Bellevue kann man ein___ komfortabl___ Urlaub (1) in der Natur verbringen. Das Hotel hat ein___ wunderschön___ Aussicht (2) auf den See. Die Zimmer sind alle mit modern___ Badezimmern (3) ausgestattet. Selbstverständlich haben die Zimmer auch groß___ Balkone (4) mit Seeblick. Die Zimmer sind alle neu möbliert___ (5). Sie haben groß___ gemütlich___ Sitzecken (6), ein___ klein___ Schreibtisch (7), Internetanschluss und einen Fernseher. Unser neu___ Restaurant (8) bietet Ihnen ein___ groß___ Angebot (9).

Ü 11 Ergänzen Sie die Artikel.

1. Das ist Johannes, _____ neue Schüler aus der elften Klasse.

2. In _____ letzten Stunde kann Eva nicht mehr denken.

3. Maria mag am liebsten _____ praktischen Fächer.

4. Eva hat _____ interessantes Praktikum in _____ Schweizer Spitzenhotel gemacht.

   In das Hotel kommen Leute aus _____ ganzen Welt.

5. _____ neue Sängerin in der Schülerband ist super.

6. Nach der Schule gehen wir in _____ kleine Café im Zentrum.

7. Wir gehen ins Kino und sehen uns _____ neuen Film der Videogruppe an.

Adjektive: Deklination nach unbestimmtem und bestimmtem Artikel

→ A 19, A 20

Ihre Sprache. Schreiben Sie.

Nomen

Abschluss, der, "-e	_____	Hauptschule, die, -n	_____
Biologie, die	_____	König, der, -e	_____
Student, der, -en	_____	Kunst, die, "-e	_____
Studium, das	_____	Lieblingsfach, das, "-er	_____
Chemie, die	_____	Mathematik, die	_____
Erfolg, der, -e	_____	Physik, die	_____
Fach, das, "-er,	_____	Praktikum,	
Fachschule, die, -n	_____	das, Praktika	_____
Freude, die, -n	_____	Schuljahr, das, -e	_____
Gärtner, der, -	_____	Schultag, der, -e	_____
Geburtsdatum,		Seminar, das, -e	_____
das, -daten	_____	Steckbrief, der, -e	_____
Geburtsort, der, -e	_____	Stundenplan, der, "-e	_____
Grundschule, die, -n	_____	Vorlesung, die, -en	_____
Gymnasium, das, -sien	_____	Zeugnis, das, -se	_____

Verben

einigen (sich)	_____	nerven	_____
finanzieren	_____	surfen	_____
faszinieren	_____	unterhalten (sich)	_____
inlineskaten	_____	verbessern	_____
langweilen (sich)	_____	vermitteln	_____
mitarbeiten	_____	wachsen	_____

Andere Wörter

anfangs	_____	hierhin	_____
arabisch	_____	ledig	_____
beruflich	_____	sympathisch	_____
deutlich	_____	typisch	_____
herzlich	_____	wirtschaftlich	_____

**Ü 12 Sammeln Sie Wörter und Ausdrücke.
Benutzen Sie auch die „Wortschatz-Hitparade".**

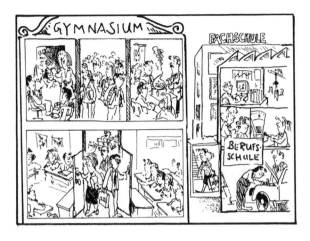 

Wörter
thematisch
ordnen

_____   _____

_____   _____

Ü 13 Schreiben Sie in Ihrer Sprache.

Ihre Sprache:

Wichtige Sätze
und Ausdrücke

Das nervt mich.   _____

Das macht mir Freude.   _____

Wie sieht ein typischer Schulalltag aus?   _____

Welche Schulen hast du / haben Sie besucht?   _____

Was für eine Ausbildung hast du / haben Sie?   _____

Ich mache eine Ausbildung als …   _____

Meine Lieblingsfächer sind/waren …   _____

Ich studiere an der Universität in …   _____

Ich arbeite bei (der Firma) …   _____

Nach einiger Zeit …   _____

Ü 14 Meine Wörter und Sätze. Schreiben Sie.

Ü 1   Ordnen Sie die Satzteile.

Eine Stadt
kennen lernen

→ A 1

_____ Prag nach Berlin gefahren. Die

_____ großes Programm. Jan interessiert

_____ der Hauptstadt. Sie haben ein

_1_ Irene ist mit ihrem Freund Jan aus

_____ sich für Architektur und Irene will

_____ ersten Tag gehen sie zu Fuß in die Stadt.

_____ beiden sind zum ersten Mal in

_____ viele Sehenswürdigkeiten besuchen. Am

Ü 2   Was ist richtig? Markieren Sie.

→ A 2

1. Wir waren erst *am* / *an das* Brandenburger Tor und dann *an das* / *am* Hackeschen Markt und sind jetzt *auf dem* / *auf das* Reichstag.

2. Hast du Lust auf eine Bootsfahrt? *Auf der* / *Auf die* Spree kann man *durch dem* / *durch das* alte Stadt-zentrum fahren.

3. Gehen wir lieber *in dem* / *ins* Museum.

4. Die Museumsinsel ist ganz *in der* / *in die* Nähe. Die liegt gleich *neben das* / *neben dem* Hackeschen Markt.

5. Wir können *im* / *ins* Historische Museum gehen.

Ü 3   Finden Sie 10 Wörter.

→ A 2

Bahn • ~~Ber~~ • Halte • Haupt • ~~lin~~ • Pau • plan • rist • rundfahrt • S- • se
Sehens • Stadt • Stadt • Stadt • stadt • stelle • Tou • würdigkeit • zentrum

Berlin _____

_____

_____

_____

_____

Ü 4 Was passt? (Es gibt mehrere Möglichkeiten.)

A Mir ist es egal.

1. _A, C_ Was machen wir jetzt?

B Gehen wir lieber zu Fuß.

2. _____ Hast du Lust auf eine Stadtrundfahrt?

C Wir können irgendwo etwas essen.

3. _____ Möchtest du ins Museum?

D Vielleicht eine Kirche?

4. _____ Am Nachmittag machen wir eine Bootsfahrt.

E Nein, auf keinen Fall.

5. _____ Was ist das?

F Gute Idee.

6. _____ Gehen wir zu Fuß oder fahren wir mit
der S-Bahn?

G Einverstanden.

H Was möchtest du?

Vorschläge machen

→ A 3

Ü 5 Schreiben Sie Sätze.

1. geteilt – Die – hat – Berlin – 1961 – bis – 1989 – Mauer – von

2. Ostberlin – Ralf Gerlach – früher – in – gelebt – hat

3. Herr Gerlach – Am – 9. November – hat – reisen – gehört –
die DDR-Bürger – dass – in den Westen – dürfen – 1989 –
im Fernsehen

4. ist – Frau – Er – neugierig – mit – seiner – Mauer – gefahren –
war – und – zur

Stadtgeschichte
verstehen

→ A 4

1. Die Mauer _____

_____

_____

_____

_____

Ü 6 Ergänzen Sie.

U_ 23 U__ hab___ di_ Grenzsolda____ d_nn di_ Mau___ geöf_____ u_d d_e Le____ kon_____ na__
Westbe_____ fah____. A_f d_r and_____ Sei__ war__ die Westber_____ un_ ha___ die Men_____
au_ de_ O_ten mi_ Blum___ u_d S_kt begr____. He__ u_d Fr__ Gerlach ha____ ei_e Sta__rundf_____
gem____t und si_d um 1 U__ w__der z_rckgefa_____. Die Le____ hab___ d_e gan__ Na____ gefe____t
un_ al___ wa_en s_h_ glü_____.

Über einen
wichtigen Tag
sprechen

→ A 5

Ü7 Ergänzen Sie.

Eine Beschreibung
verstehen

→ A7

1. Das ist der Pots_____ Pl_____. 2. Er war nach dem Zweiten

Welt_____ zerstört. 3. Die Sie_____ teilten Berlin in vier Teile.

4. In Deutschland gab es zwei Staaten, die Bundes_____

und die D____. 5. Die Reg_____ der DDR baute eine Mau___

um Berlin. Sie teilte auch den Potsdamer Platz. 6. Nach der Wie-

der_____ haben berühmte Architekten das „alte Zen-

trum" neu gestaltet.

Ü8 Ergänzen Sie die Präpositionen.

Präpositionen

→ A19, A20

Lieber Pavel,

letzte Woche war ich _____ (1) Irene drei

Tage _____ (2) Berlin. Es war toll. Wir sind

_____ (3) dem Zug gefahren und haben

_____ (4) einem kleinen Hotel gewohnt.

Irene war auch _____ (5) ersten Mal _____

(6) der Hauptstadt. Gleich _____ (7) ersten

Tag sind wir zu Fuß _____ (8) Stadtzentrum

gegangen. Irene war etwas genervt, weil

ich tausend Fotos gemacht habe: Irene

v____ (9) dem Reichstag und a____ (10)

dem Reichstag, i____ (11) Brandenburger

Tor und n_____ (12) dem Brandenburger

Tor. Dann waren wir _____ (13) den Hackeschen Höfen. Danach sind wir

_____ (14) der S-Bahn _____ (15) Checkpoint Charlie gefahren (!). Wir wollten i____ (16)

Mauermuseum ...

Ü 9 Ergänzen Sie.

→ A 19, A 20

... Weil wir es nicht gleich gefunden haben, fragten wir einen älteren Herrn nach dem Weg. Er hat uns alles über die Mauer erzählt. Dass er früher _____ (1) Ostberlin gewohnt und _____ (2) 9. November 1989 _____ (3) Fernsehen von der Grenzöffnung gehört hat. Dass er _____ (4) seiner Frau z_____ (5) Mauer gefahren ist und nachts, nach der Öffnung, eine Stadtrundfahrt _____ (6) Westberlin gemacht hat. Natürlich waren wir auch _____ (7) Potsdamer Platz und _____ (8) Historischen Museum. Und wir haben eine Bootsfahrt _____ (9) der Spree gemacht. _____ (10) Zug zurück haben wir nur geschlafen, aber die Tage waren total interessant. Ich schick dir ein paar Fotos mit. Nächstes Jahr kommen wir _____ (11) Warschau!

Liebe Grüße aus Konstanz, auch von Irene
Jan

Ü 10 Ergänzen Sie.

Präteritum „kommen", „sagen", „geben" und Modalverben

→ A 23

1. Ich wollte gestern ins Konzert gehen, aber _es gab_ _____ (keine Karten mehr geben).

2. Frau Meier wollte Sie sprechen, aber _____ (nicht länger warten können).

3. Max sagte, dass _____ (gestern zum Arzt gehen müssen).

4. Wir wollten letztes Jahr nach Paris fahren, denn _____ (noch nie da gewesen sein).

Ü 11 Ergänzen Sie.

→ A 23

1. War _t_ ihr schon einmal in Hamburg? **2.** Woll____ du nicht zum Oktoberfest fahren? – Doch, aber es gab____ kein Hotelzimmer mehr. **3.** Sag____ du etwas? – Ich? Nein. **4.** Der Zug kam____ mit 20 Minuten Verspätung an. **5.** Ich konn____ noch nie gut Rad fahren. **6.** Durf____ du mit 15 in die Disco gehen? **7.** Gundi hat____ einen Traum. **8.** Ich bin müde, ich muss____ heute sehr früh aufstehen.

5

Ihre Sprache. Schreiben Sie.

Wortschatz-
Hitparade

Nomen

Abgeordnete, der/die, -n	_____
Architektur, die, -en	_____
Armee, die, -n	_____
Berliner Mauer, die	_____
Beschreibung, die, -en	_____
Bevölkerung, die, -en	_____
Bootsfahrt, die, -en	_____
Bundesrepublik, die	_____
Bundestag, der	_____
Bürger, der, -	_____
Demonstrant, der, -en	_____
Duft, der, "-e	_____
Fernsehturm, der, "-e	_____
Friede, der	_____
Gebäude, das, -	_____
Gesetz, das, -e	_____
Gründung, die, -en	_____
Hof, der, "-e	_____
Investor, der, -en	_____
Königin, die, -nen	_____
Krise, die, -n	_____

Mauerbau, der	_____
Maueröffnung, die	_____
Mauerrest, der, -e	_____
Nahrungsmittel, das, -	_____
Naturkatastrophe, die, -n	_____
Not, die, "-e	_____
Osten, der	_____
Präsident, der, -en	_____
Reichstag, der	_____
Reiseführer, der, -e	_____
Sehenswürdigkeit, die, -en	_____
Staat, der, -en	_____
Stadtgeschichte, die	_____
Stadtrundfahrt, die, -en	_____
Teilung, die, -en	_____
Wahl, die, -en	_____
Westen, der	_____
Wiedervereinigung, die	_____
Wunder, das, -	_____

Verben

aufbauen	_____
dauern	_____
erinnern (sich)	_____
fliehen	_____

kämpfen	_____
schießen	_____
teilen	_____

Andere Wörter

beliebt	_____
demokratisch	_____
ernst	_____
gegenseitig	_____

schlimm	_____
unfair	_____
vernünftig	_____

Ü 12 Sammeln Sie Wörter und Ausdrücke.
Benutzen Sie auch die „Wortschatz-Hitparade".

Wörter
thematisch
ordnen

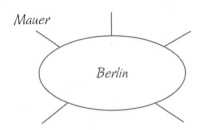

Ü 13 Schreiben Sie in Ihrer Sprache.

Ihre Sprache:

Wichtige Sätze
und Ausdrücke

Was machen wir jetzt?

Hast du Lust auf ...?

Gute Idee!

Mir ist es egal.

Einverstanden!

Nein, auf keinen Fall.

Entschuldigung, darf ich Sie etwas fragen?

Habe ich Sie richtig verstanden?

Ein wichtiger Ort in meiner Stadt ist ...

Früher war hier ...

Nach dem Krieg ...

Als Kind habe ich ...

Das ist/war wie ein Wunder.

Das vergesse ich nie!

Ü 14 Meine Wörter und Sätze. Schreiben Sie.

Zusammen leben

Ü 1 Welche Meinung passt zu welcher Familie?

Familien
vergleichen

→ A 1

1. „Für uns ist das eigene Leben wichtiger als die Familie."
2. „Kinder brauchen Zeit, und es ist nicht immer leicht mit vielen Kindern."
3. „Kinder machen das Leben interessant."
4. „Wir finden, dass eine richtige Familie mehrere Kinder haben muss."
5. „Wir sind beide sehr aktiv und haben Erfolg im Beruf."

Ü 2 Von der Großfamilie zur Kleinfamilie. Ergänzen Sie.

Eine Statistik
lesen

→ A 2

große • Kinder • planen • Prozent • Beruf • arbeiten
Haushalte • 1960 • 6 Prozent • Scheidungen • kleinere • Gründe

Heute gibt es immer weniger _große_ (1) Familien. Im Jahr 2000 gab es 36 Prozent _____ (2)

mit einer Person und nur noch 13 _____ (3) Haushalte mit drei und vier Personen. Früher waren das

viel mehr. _____ (4) hatten noch 21 Prozent der Haushalte fünf und mehr Personen, heute sind es nur

noch _____ (5). Das hat viele _____ (6): Früher kümmerten sich die meisten Frauen um den

Haushalt und die _____ (7). Heute haben viele Frauen einen _____ (8) und _____ (9).

Und es gibt mehr _____ (10). Deshalb gibt es viele allein erziehende Elternteile, also auch

_____ (11) Familien. Weil es Verhütungsmittel gibt, kann man Familien heute auch besser

_____ (12).

Ü 3 Wie heißen die Wörter?

Personen
beschreiben

→ A 4

1. amo   _____   5. lenek   _____

2. telern   _____   6. avgroßter   _____

3. schweigster _____   7. terschreigewocht _____

4. terocht   _____   8. erstwesch   _____

Ü 4 Ordnen Sie zu.

1. _C_ Hast du keine Geschwister?
2. ___ Hast du auch einen Großvater?
3. ___ Wer ist der Mann mit dem Bart?
4. ___ Ist das Ihre Familie?
5. ___ Ist das Ihre Tochter?

A Nein, das ist meine Schwiegertochter.   → A 4

B Ja, das sind meine vier Kinder mit ihren Partnern.

C Doch, eine Schwester.

D Das ist Onkel Hubert.

E Nein. Mein Opa lebt nicht mehr.

Ü 5 Freunde. Schreiben Sie Sätze.

1. Meine – sind – Freunde – Familie – meine
2. brauche – da – Ein – ist – ich – ihn – Freund – wenn
3. jeden – sich – Gute – müssen – nicht – sehen – Freundinnen – Tag
4. besten – Probleme – Mit – über – kann – am – sprechen – Freunden – ich
5. Wahrheit – müssen – offen – und – die – sagen – Freunde – ehrlich

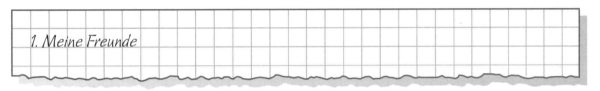

Beziehungen
beschreiben

→ A 6

1. Meine Freunde

Ü 6 Schreiben Sie den Dialog.

Freunde und
Bekannte
vorstellen

→ A 8

> Ich hoffe, nur Gutes. • Das ist Florian, mein Bruder. Und das ist Laura.
> Aber sicher! Du studierst auch Geschichte?
> Hallo, Florian. Schön, dass ich dich einmal kennen lerne. Paula hat schon viel von dir erzählt.
> Ja, das stimmt ...

● _____

○ _____

■ _____

○ _____

■ _____

Ü 7 Wie heißen die Fragen?

Ein Ereignis
darstellen

→ A 9

1. _____ – Das war an der Nordsee.

2. _____ – Da habe ich den Bus verpasst.

3. _____ – Ich musste alleine mit dem Zug nach Hause fahren.

4. _____ – Nein, mit meiner Klasse.

5. _____ – Das war vor 15 Jahren.

Ü 8 Finden Sie 21 Wörter (waagerecht und senkrecht) und markieren Sie.

Familie und
Verwandte

→ A 11

S	C	H	W	A	G	E	R	A	C	H	L	N	I	C	H	T	E	M	O	R	T	D	M
C	P	N	E	F	F	E	O	U	K	C	O	U	S	I	N	E	L	B	T	A	N	T	E
H	U	O	B	V	A	T	E	R	V	T	G	E	L	T	E	R	N	I	X	M	A	N	N
W	U	N	L	N	G	E	S	C	H	W	I	S	T	E	R	O	S	B	U	T	E	L	B
E	C	K	X	J	S	C	H	W	I	E	G	E	R	V	A	T	E	R	K	E	D	W	R
S	Y	E	Z	N	G	R	O	ß	V	A	T	E	R	I	J	S	O	H	N	E	T	Z	U
T	G	L	J	N	E	M	U	T	T	E	R	S	R	E	N	K	E	L	I	N	U	O	D
E	C	H	K	N	B	V	R	C	T	X	E	T	O	C	H	T	E	R	O	G	H	M	E
R	E	X	F	R	A	U	Y	S	C	H	W	Ä	G	E	R	I	N	Z	A	J	H	A	R

Ü 9 Wer ist das?

→ A 11

1. Die Schwiegereltern sind die Eltern von

meinem _____ / meiner _____. 2. Die Tochter

von meiner _____ / meinem Onkel ist meine

_____. 3. Mein Neffe ist der Sohn von meiner

_____ / meinem _____.

4. Die Frau von meinem Bruder ist meine

_____. 5. Meine Schwester und ich sind

die _____ von meinen Großeltern. 6. Die Frau von meinem Sohn ist meine

_____. 7. Meine Oma ist die Mutter von meiner _____ / meinem _____.

8. Mein Bruder und meine Schwester sind meine _____.

Ü 10 Ergänzen Sie „jed-", „beid-", „viel-" oder „all-".

1. Ich habe vier Geschwister. _____-e sind verheiratet.

2. Wir wollen bald heiraten und wir möchten _____-e _____-e Kinder.

3. Ich mag Kinder in _____-em Alter.

4. Er lebt seit 10 Jahren im Ausland, aber er hat mit _____-en alten Freunden immer noch Kontakt.

5. Ich stehe _____-en Tag um 8 Uhr auf.

6. Das sind meine Schwägerinnen Andrea und Judith. _____-e sind sehr nett.

7. Wir sind eine große Familie und wohnen _____-e in einem Haus.

„jed-", „beid-",
„viel-" und „all-"

→ A 17

Ü 11 Ergänzen Sie.

1. Petra und Klaus haben _sich_ in der Uni kennen gelernt. Sie lieben _____ sehr und wollen bald heiraten.

2. Meine Eltern und meine Schwiegereltern mögen _____ nicht so sehr. Das ist schade.

3. Marion ist meine beste Freundin, und _____ sehen _____ oft.

4. Wie lange kennt _____ _____ schon?

5. Gundi und ihr Mann haben _____ getrennt.

6. Ich glaube, es ist normal, dass _____ Geschwister manchmal streiten.

7. Wollen _____ _____ um halb acht vor dem Kino treffen? – Ja, prima!

Reziproke Verben

→ A 18

Ü 12 Ordnen Sie zu.

1. _G_ Das Buch, das ich gerade lese,

2. ___ Schau, das ist das Auto,

3. ___ Das ist der Typ,

4. ___ Hast du die Mail schon gelesen,

5. ___ Zeigst du mir bald die Fotos,

6. ___ Hier ist das Rezept,

7. ___ Sind das die Schuhe,

A die du in Paris gemacht hast?

B die ich dir geschickt habe?

C die du neu gekauft hast?

D das ich dir schon lange versprochen habe.

E das ich mir gern kaufen möchte.

F der mich gestern so genervt hat.

G ist total spannend.

Satz: Relativsatz
mit Relativpronomen
„der", „das", „die"

→ A 19

Ihre Sprache. Schreiben Sie.

Nomen

Besuch, der, -e _____

Beziehung, die, -en _____

Blödsinn, der _____

Bruder, der, "-er _____

Cousin, der, -s _____

Cousine, die, -n _____

Einpersonenhaushalt,
der, -e _____

Enkel, der, - _____

Enkelin, die, -nen _____

Enkelkind, das, -er _____

Ereignis, das, -se _____

Fitness-Studio, das, -s _____

Generation- die, -en _____

Geschwister, die (Pl.) _____

Großeltern, die (Pl.) _____

Großvater, der, "-er _____

Humor, der _____

Junge, der, -n _____

Klavier, das, -e _____

Kleinfamilie, die, -n _____

Mädchen, das, - _____

Nachbarin, die, -nen _____

Neffe, der, -n _____

Oma, die, -s _____

Onkel, der, - _____

Opa, der, -s _____

Prozent, das, -e _____

Schwester, die, -n _____

Schwiegermutter, die, "- _____

Schwiegersohn, der, "-e _____

Schwiegertochter, die, "- _____

Schwiegervater, der, "- _____

Sieg, der, -e _____

Tante, die, -n _____

Tennis-Club, der, -s _____

Verwandte, der/die, -n _____

Wahrheit, die, -en _____

WG (Wohngemeinschaft),
die, -s _____

Verben

abnehmen _____

bestehen _____

darstellen _____

getrennt leben _____

gewinnen _____

mithelfen _____

mitspielen _____

schwanger sein _____

verlieren _____

zusammenleben _____

Andere Wörter

aktiv _____

böse _____

dumm _____

ehrlich _____

kompliziert _____

lustig _____

notwendig _____

stolz _____

unfreundlich _____

unsympathisch _____

**Ü 13 Sammeln Sie Wörter und Ausdrücke.
Benutzen Sie auch die „Wortschatz-Hitparade".**

Wörter
thematisch
ordnen

_____ _____ _____

_____ _____ _____

_____ _____ _____

Ü 14 Schreiben Sie in Ihrer Sprache.

Ihre Sprache:

Wichtige Sätze
und Ausdrücke

Ich finde, eine Familie muss ...   _____

Für mich / bei uns heißt Familie, dass ... _____

Für mich gehört zu einer Familie ...   _____

Das ist schade.   _____

Das macht nichts.   _____

Kannst du / Können Sie mich bitte vorstellen? _____

Das wäre nett.   _____

Aber sicher!   _____

Schön, dass ich dich/Sie kennen lerne.   _____

Ü 15 Meine Wörter und Sätze. Schreiben Sie.

Ü 1   Ordnen Sie.

Eine Firma beschreiben

→ A 2

_____ kehr und bringen sie in ein anderes Geschäft, in eine Fabrik, in ein Büro

_____ radkuriere holen die Pakete bei einem Kunden ab, rasen durch den Ver-

_____ tiert Bilder, Fotos, Dokumente, Geschenke und kleine Pakete. Die Fahr-

_1_ Die Firma Rad-Rapid ist in Leipzig. Sie macht Kurierdienste: Sie transpor-

_____ oder zu einer Freundin.

Ü 2   Wie heißen die Wörter?

→ A 2 Vor 10 Jahren hat sich Michelle Schneider (stelbsdigänst) _____ (1) gemacht und Rad-Rapid

(detgenürg) _____ (2). Es war am (fanAgn) _____ (3) schwer. Keine (denunK) _____ (4),

keine Aufträge. Heute läuft der (treBbie) _____ (5) gut. Jetzt arbeiten 12 (gellstenAte) _____ (6)

in der (miraF) _____ (7). Seit zwei Monaten gibt es auch eine eigene (reWktsatt) _____ (8) für

ihre Fahrräder und eine kleine Kantine. Wichtig für den (foErlg) _____ (9) von Rad-Rapid ist: freundlich,

flexibel, (tlichknüp) _____ (10) und billig.

Ü 3   Ergänzen Sie.

→ A 3

Ich bin die Ch_f_n. Ich or_a_is_ _re die A_b_ _t, bin für das T_l_f_n v_r_ntw_rtl_ch und muss die

R_chn_ng_n schr_ _b_n. Ich pl_n_ gern und spr_ch_ gern mit M_t_rb_ _t_rn. Mit B_h_rd_n v_rh_nd_ln,

R_ch_ung_n schr_ _b_n und St_ _ _rn b_z_hl_n mag ich nicht gern. Das Sp_nn_nd_ an der _rb_ _t ist: dass

es immer andere K_nd_n und andere Pr_bl_me gibt.

Ü 4 Lesen Sie und ergänzen Sie das Formular.

14.15 bis 14.30 Uhr Geburtstagstorte und Blumen bei Emilie Schwarz, Bäckerstraße 25, abholen – Klingel kaputt, anrufen: Tel 7659403 – bis 15 Uhr liefern an Julius Fichte, Dürerstraße 16, 4. Stock

AUFTRAG-NUMMER	4-154
ABSENDER (Firma oder Kundennummer)	
Straße	
Telefon	
Gegenstand	
Abholzeitraum (Uhrzeit)	
EMPFÄNGER (Firma oder Kundennummer)	
Straße	

Einen Auftrag verstehen

→ A 6

Ü 5 Ordnen Sie zu.

1. _D_ Wo arbeitest du?

2. ___ Was macht die Firma?

3. ___ Seit wann arbeitest du dort?

4. ___ Was gefällt dir an deinem Job?

5. ___ Wie viel Stunden arbeitest du pro Woche?

A 40 Stunden.

B Seit 5 Jahren.

C Mir gefällt, dass ich selbstständig arbeiten kann.

D Ich arbeite bei ... / Ich habe im Moment keine Arbeit.

E Unsere Firma macht/produziert/...

Über die Arbeit sprechen

→ A 7

Ü 6 Schreiben Sie das Telefongespräch.

Ich sag es ihr. • Hallo, Frau Meier. Hier ist Iris. Kann ich Sabine sprechen?
Wissen Sie vielleicht, wann sie nach Hause kommt? • Danke, Frau Meier und tschüss.
Tschüss, Iris. • Ja, bitte. Es ist wichtig. • Das tut mir leid. Sabine ist nicht da.
Ja, in einer Stunde ist sie bestimmt wieder da. Soll sie dich anrufen? • Meier.

Telefonieren, begrüßen, sich verabschieden

→ A 11, A 12

● _Meier._ _____

○ _____

● _____

○ _____

● _____

○ _____

● _____

○ _____

● _____

7

Ü 7 Zwei Verben passen nicht. Markieren Sie.

Der Arbeitsplatz

→ A 16

1. über den Lohn diskutieren – machen – ausfüllen
2. Pause vorbereiten – anmachen – machen
3. eine Rechnung anmachen – flicken – schreiben
4. eine Sitzung kopieren – aufräumen – vorbereiten
5. den Bildschirm schreiben – anmachen – kopieren
6. ein Formular ausfüllen – schreiben – telefonieren
7. eine E-Mail lesen – machen – anmachen

Ü 8 Wie heißen die Berufe? Schreiben Sie auch die weibliche Form.

Berufe

→ A 17

1. der renrtäG   *Gärtner, die Gärtnerin*
2. der erauB _____
3. der irFreus _____
4. der ellKren _____
5. der choK _____

6. der tolPi _____
7. der zistoliP _____
8. der kesiMur _____
9. der Ekriterkel _____
10. der tzAr _____

Ü 9 Schreiben Sie Sätze.

Adjektive als Substantive

→ A 23

1. *schön:* haben – Kollegen – nett

   Das Schöne ist, dass ich ... _____
2. *gut:* müssen – nicht – weit – fahren

   _____
3. *schlecht:* müssen – arbeiten – am Samstag

   _____
4. *neu:* können – arbeiten – selbstständig

   _____
5. *anstrengend:* müssen – sitzen – den ganzen Tag – im Büro

   _____
6. *spannend:* können – lernen – Neues

   _____

Ü 10 Ergänzen Sie.

Possessiv-Artikel

→ A 24

1. Michelle Schneider hat ihr___ Firma vor 10 Jahren gegründet. **2.** Sie freut sich, dass ihr___ Betrieb gut

läuft und ihr___ Angestellten gern bei ihr arbeiten. **3.** Peter Teufel repariert in sein___ Werkstatt die Fahr-

räder von Rad-Rapid. **4.** Er mag sein___ Arbeit, aber in ein paar Jahren will er sich selbstständig machen.

5. Ich bin mit mein___ Arbeit zufrieden. **6.** Ich verdiene genug und habe noch Zeit für mein___ Familie.

7. Für uns ist es sehr wichtig, dass unser___ Kunden mit unser___ Produkten zufrieden sind.

Ü 11 Ergänzen Sie.

→ A 24

1. Bist du mit _____ Arbeit schon fertig?

2. Wie gefällt es euch denn in _____ neuen Wohnung?

3. Haben Sie _____ E-Mail bekommen?

4. Darf ich vorstellen: Das ist _____ Mann und das sind _____ Söhne: Johann und Julian.

5. Da ist Bea mit _____ Freund. – Der sieht aber gut aus!

6. Hallo, Frau Weber, danke für Ihre Postkarte. Wie war denn _____ Urlaub?

7. Schreib mir bitte _____ neue Adresse.

Ü 12 Ergänzen Sie.

Artikelwörter als Pronomen

→ A 26

● Hast du ein Auto? – ○ Nein, ich habe *keins* (1).

● Wo hast du denn dein Fahrrad gekauft? Ich brauche auch _____ (2).

● Gehört dir die Tasche? – ○ Nein, das ist nicht _____ (3).

● Hast du schon eine neue Stelle? – ○ Nein, ich habe noch _____ (4).

● Ich habe meine Kollegen gefragt, aber _____ (5) wusste die Antwort.

● Ist das der Schlüssel von Tobias? – ○ Ja, ich glaube, das ist _____ (6).

● Sind das die Kinder von Iris? – ○ Nein, das sind nicht _____ (7), das sind meine.

Ihre Sprache. Schreiben Sie.

Nomen

Absender, der, -	_____	Friseur, der, -e	_____
Alltagssprache, die	_____	Gärtnerin, die, -nen	_____
Angestellte, der/die, -n	_____	Gehweg, der, -e	_____
Anrufbeantworter, der, -	_____	Germanistik, die	_____
Anwalt, der, "-e	_____	Hausfrau, die, -en	_____
Arbeitsklima, das	_____	Kantine, die, -n	_____
Arbeitszeit, die, -en	_____	Koch, der, "-e	_____
Auftrag, der, "-e	_____	Kunde, der, -n	_____
Bauarbeiter, der, -	_____	Liebesbrief, der, -e	_____
Behörde, die, -n	_____	LKW-Fahrer, der, -	_____
Betrieb, der, -e	_____	Mechaniker, der, -	_____
Computerspezialist, der, -en	_____	Paket, das, -e	_____
		Pilot, der, -en	_____
Empfänger, der, -	_____	Polizist, der, -en	_____
Fahrradkurier, der, -e	_____	Pizza-Service, der, -s	_____
Fahrradkurierin, die, -nen	_____	Tänzer, der, -	_____
		Werkstatt, die, "-en	_____

Verben

abgeben	_____	losfahren	_____
anmachen	_____	rasen	_____
aufräumen	_____	reparieren	_____
flicken	_____	transportieren	_____
gründen	_____	verhandeln	_____
kopieren	_____		

Andere Wörter

dringend	_____	kaputt	_____
fit	_____	Mist!	_____
flexibel	_____	pünktlich	_____
Geschafft!	_____	selbstständig	_____
Halt!	_____		

Ü 13 Sammeln Sie Wörter und Ausdrücke.
Benutzen Sie auch die „Wortschatz-Hitparade".

Firma

Arbeit/Berufswunsch

Wörter
thematisch
ordnen

Ü 14 Schreiben Sie in Ihrer Sprache.

	Ihre Sprache:	
Ich arbeite bei ...	_____	

Wichtige Sätze
und Ausdrücke

Ich arbeite bei ...

Ich bin arbeitslos.

Unsere Firma macht/produziert/...

Was machst du da (genau)?

Was gefällt dir/Ihnen an deinem/Ihrem Job?

Das Gute / Das Interessante an meiner

Arbeit ist ...

Was kann ich für Sie tun?

Ist alles klar?

Habe ich richtig verstanden?

Na klar!

Mist!

Das geht leider nicht.

Einen schönen Gruß an ...

Ü 15 Meine Wörter und Sätze. Schreiben Sie.

Fremd(e)

Ü 1 Ergänzen Sie.

Reisen:
Gründe nennen

→ A 1

| und sie ist ein bisschen nervös. • und möchte für ein Jahr nach Deutschland hat sie mit dem Deutschlernen angefangen • denn sie hat kein Geld. |

1. Als Lilit Sarkisian 10 Jahre alt war, _____

2. Jetzt studiert sie Sprachen _____

3. In einer Woche soll sie fahren, _____

4. Sie braucht eine Arbeit, _____

Ü 2 Wie heißen die Wörter?

Über Gefühle
sprechen

→ A 2

● Herr Rodríguez, Sie (ensrie) _reisen_ (1) in ein paar Tagen nach Deutschland.

Was (netrawre) _____ (2) Sie?

○ Ich (refeu) _____ (3) mich und bin sehr neugierig.

● Was (treissienter) _____ (4) Sie besonders?

○ Die (ramiF) _____ (5) und der Arbeitstag.

● Haben Sie denn keine (tsAng) _____ (6)?

○ Nein, aber ich bin ein bisschen (rechsinu) _____ (7).

Ich fahre zum ersten Mal in ein (sedmerf) _____ (8) Land.

Ü 3 Schreiben Sie Sätze im Präteritum.

Veränderungen
beschreiben

→ A 4

1. Nataša – als – arbeiten – bis – Krieg – der – beginnen – in – Bosnien – Journalistin
2. sie – müssen – und – kommen – nach – Dann – fliehen – Österreich
3. haben – Sie – Arbeit – keine – und – Sprache – die – können – nicht
4. Zukunft – haben – vor – der – Sie – Angst
5. Beraterin – sie – Dann – werden – und – helfen – bei – von – Kindern – ausländischen – Problemen

1. Nataša arbeitete in Bosnien als Journalistin, bis der Krieg begann.

Ü 4 Ergänzen Sie.

→ A 5

> verstanden • langsam • gleiche • Frag • Sport
> Kontakt • Dialekt • Hobbys • Ort

Such _____ (1) zu anderen durch deine _____ (2). Wenn du _____ (3) magst, such

dir einen Sportverein. Geh am Anfang immer wieder an den gleichen _____ (4), z.B. in das

_____ (5) Café. Bitte die Leute, dass sie _____ (6) und nicht im _____ (7)

sprechen. _____ (8) sofort nach, wenn du etwas nicht _____ (9) hast.

Ü 5 Markieren Sie die Wörter und schreiben Sie die Sätze.

ich/habe/michzuerstsehrverlorengefühltalsichalspraktikantinintaiwanwarichkonntenochfastkeinchinesisch
ichhabenureinpaarschriftzeichengekanntichhabeimmerdieleutebeobachtetindermittagspausebinicheinfach
allenanderennachgegangenundbinwirklichindiekantinegekommendaswareineguteerfahrung

Von Erfahrungen
berichten

→ A 8

Ich habe _____

_____

_____

_____

Ü 6 Schreiben Sie einen kurzen Text.

> Vor 20 Jahren • wir • ersten Computer kaufen • ein Freund
> helfen • Computer installieren • erste Schritte zeigen
> lange Zeit • überhaupt nichts verstehen

→ A 8

_____

_____

_____

Ü 7 Ordnen Sie zu.

1. _C_ Sie suchen den Bus Nr. 37?

2. ___ Ich habe keine Lust mehr.

3. ___ Wie meinen Sie das?

4. ___ Ich möchte aber eine Erklärung!

5. ___ Findest du das gut?

A Nein, ich sage jetzt nichts mehr.

B Ja, sogar sehr gut.

C Ja, richtig.

D Was heißt das?

E Sie haben mich richtig verstanden.

Nachfragen und
Reagieren

→ A 10

Ü 8 Silbenrätsel. Finden Sie mindestens 10 Wörter.

Gefühle
ausdrücken

→ A 13

ängst • Är • är • är • be • ben • de • den • en • fen • Freu
freu • frie • fröh • ger • gern • gert • gie • glück • he • hig
hof • Hoff • lich • lich • lich • Lie • lie • ner • neu • nung
rig • rig • Ru • ru • trau • ver • vös • zu

(die) Liebe,

Ü 9 Ergänzen Sie.

→ A 14

Meine Freundin ist ein f_ö_l_c_e_ (1) Mensch. Aber wenn sie P_o_l_m_ (2) hat, dann kann sie auch sehr

e_n_t (3) sein. Letztes Jahr war sie sehr k_a_k (4). Da hat sie nicht mehr oft g_l_c_t (5). Wenn ich sie

gesehen habe, hat sie meist g_w_i_t (6). Sie war ein anderer M_n_ch (7). Bei der Arbeit ist sie eine g_t_

K_l_e_in (8). Wenn es Probleme gibt, bleibt sie immer ganz r_h_g (9). Sie ist eigentlich nie n_r_ö_ (10).

Und sie ist meist z_f_i_d_n (11).

Ü 10 Wie heißen die Wörter?

Ämter und
Dokumente

→ A 15

1. das A _ _
2. der Ste_ _ _ _
3. die Bot_ _ _ _ _ _
4. das Einwo_ _ _ _ _ _ _ _ _amt
5. der Pers_ _ _ _ _ _ _ _ _ _ _

6. das Dok_ _ _ _ _
7. das For_ _ _ _ _
8. das Vi_ _ _
9. die Auslä_ _ _ _ _ _ _ _rde
10. die Geneh_ _ _ _ _ _

Ü 11 Ergänzen Sie die Verben und markieren Sie die Präpositionen.

Verben mit
Präpositionen

→ A 21

1. Ernesto fr_____ sich auf seine Deutschlandreise. 2. Er in_____ sich für Sport und möchte in

Deutschland ein Fußballspiel sehen. 3. Lilit ist ein bisschen nervös, denn sie wa_____ auf ihr Visum.

4. Karla hat wenig Zeit, weil sie sich auf ihre Prüfung ko_____ muss. 5. Boris sp_____ nicht

gern über Probleme. 6. Nataša er_____ viel von ihrem Leben in Bosnien. 7. Ich er_____ mich

gern an meine Schulzeit. 8. Sie tr_____ von einer großen Familie. 9. Bitte an_____ Sie auf die

Frage.

Ü 12 Was ist richtig? Markieren Sie.

1. Ich warte schon seit 20 Minuten *auf* / *an* / *für* den Bus.

2. Er hört *auf* / *mit* / *für* dem Rauchen auf.

3. Sie hat 3 Stunden *an* / *für* / *mit* ihrer besten Freundin telefoniert.

4. Ich danke Ihnen *auf* / *für* / *an* Ihre Hilfe.

5. Haben Sie *mit* / *für* / *über* Ihrer Kollegin schon *mit* / *über* / *auf* das neue Projekt gesprochen?

6. Ich muss mich *mit* / *über* / *auf* die Preise informieren.

7. Wir glauben nicht *über* / *für* / *an* Märchen.

8. Ich mag Menschen, die *über* / *an* / *mit* sich selber lachen können.

→ A 21

Ü 13 Ergänzen Sie „wenn" oder „als".

1. _____ Nataša nach Österreich kam, hatte sie große Angst vor der Zukunft. 2. Immer _____ sie etwas nicht verstanden hat, hat sie sofort nachgefragt. 3. _____ er sich schlecht fühlt, schläft er viel. 4. Sie hat ihr erstes Fahrrad bekommen, _____ sie sechs Jahre alt war. 5. Er hat sich in sie verliebt, _____ er sie zum ersten Mal gesehen hat. 6. Ich rufe dich an, _____ ich zu Hause bin. 7. Jedes Mal, _____ ich meine Großmutter besucht habe, gab es einen wunderbaren Apfelkuchen. 8. Ich war 30 Jahre alt, _____ ich geheiratet habe.

Satz: Nebensätze mit „wenn" und „als"

→ A 23

Ü 14 Ergänzen Sie „bis" oder „seit".

1. _____ Ernesto nach Deutschland geht, lernt er Deutsch in der Sprachschule in Puebla.

2. Lilit liebt Geschichten, _____ sie sich erinnern kann.

3. _____ der Krieg begann, lebte Nataša in Bosnien. Dann ist sie nach Österreich geflohen.

4. _____ sie die Sprache kann und eine Arbeit gefunden hat, geht es ihr gut.

5. Wir warten mit dem Essen, _____ alle da sind.

6. _____ sie ihre Traumreise nach Südamerika machen kann, muss sie noch viel sparen.

7. _____ er den neuen Computer hat, surft er nur noch im Internet.

8. _____ wir im Ausland leben, sehen wir die Welt mit anderen Augen.

Satz: Nebensätze mit „bis" und „seit"

→ A 24

Ihre Sprache. Schreiben Sie.

Wortschatz-Hitparade

Nomen

Amt, das, "-er	_____	Frist, die, -en	_____
Arbeitserlaubnis,		Genehmigung, die, -en	_____
die, -se	_____	Geste, die, -n	_____
Arbeitsgenehmigung,		Hoffnung, die, -en	_____
die, -en	_____	Kompliment, das, -e	_____
Asyl, das	_____	Konsulat, das, -e	_____
Aufenthalts-		Körpersprache, die	_____
genehmigung, die, -en	_____	Lob, das	_____
Ausländer, der, -	_____	Märchen, das, -	_____
Ausländerin, die, -nen	_____	Neugier, die	_____
Bestätigung, die, -en	_____	Personalausweis,	
Botschaft, die, -en	_____	der, -e	_____
Dialekt, der, -e	_____	Reisepass, der, -"e	_____
Einwohnermeldeamt,		Schriftzeichen, das, -	_____
das, -"er	_____	Stempel, der, -	_____
Erfahrung, die, -en	_____	Stipendium,	
Fortbildung, die, -en	_____	das, Stipendien	_____
Fremde, die	_____	Visum, das, Visa	_____

Verben

ärgern (sich)	_____	nachfragen	_____
beobachten	_____	stattfinden	_____
gespannt sein	_____	teilnehmen	_____
gewohnt sein	_____	überraschen	_____
melden	_____	verlängern	_____

Andere Wörter

ängstlich	_____	(un-)höflich	_____
froh	_____	(un-)sicher	_____
fröhlich	_____	(un-)zufrieden	_____
innerhalb	_____	verrückt	_____
komisch	_____	vollständig	_____
nervös	_____	vornehm	_____
neugierig	_____	zum Teil	_____

Ü 15 Sammeln Sie Wörter und Ausdrücke.
Benutzen Sie auch die „Wortschatz-Hitparade".

Was macht man wo?

Wörter
thematisch
ordnen

————————— ————————— —————————

————————— ————————— —————————

————————— ————————— —————————

————————— ————————— —————————

Ü 16 Schreiben Sie in Ihrer Sprache.

Ihre Sprache:

Wichtige Sätze
und Ausdrücke

Ich bin ein bisschen nervös.

Ich bin sehr gespannt.

Ich bin neugierig.

Das bin ich (nicht) gewohnt.

Das weiß ich auch nicht so genau.

Das stimmt.

Als ich zum ersten Mal ...

Ich war mal an/in/bei ... Da ...

Ich finde überraschend, dass ...

Ich finde es komisch, dass/wenn ...

Das ist neu für mich.

Achtung!

Du hast einen Vogel! / Du bist verrückt!

Ü 17 Meine Wörter und Sätze. Schreiben Sie.

Medien im Alltag

Ü1 Wie heißen die Wörter?

Medien benutzen

→ A 2

Jeden Tag beginne ich um 8.00 Uhr mit dem gleichen Ritual: Ich schalte den (tempurCo) _____ (1) ein. Ich gebe das (worsstPa) _____ (2) ein und gehe ins (tzNe) _____ (3). Ich muss meine (lsMai-E) _____ (4) lesen, deshalb öffne ich die (ilboxMa) _____ (5). Es gibt 14 neue (ilMas-E) _____ (6). Die wichtigsten beantworte ich sofort. Einige soll ich für den Chef (druauscken) _____ (7), damit er sie lesen kann. Manche Mails (schelö) _____ (8) ich, andere (rechespei) _____ (9) ich oder leite sie an Kollegen weiter.

Ü 2 Markieren Sie die Wörter und schreiben Sie die Sätze.

Informationen notieren

→ A 3

frau/fischer/hatjedenmorgendengleichenstresszuerstsiehtsieaufdenkalenderwelcheterminehatsieheute dannhörtsiedenanrufbeantworterabsienotiertalleanrufeterminetermineundalleaufeinmalum9.00 uhrhatsiekaffeepausedannmusssiedenterminmitfraubockverschiebenherrwebermöchteihrdiefotoszeigen undum 13.00uhrtrifftsieihrefreundinmonikazummittagessen

Frau Fischer

Ü 3 Was passt? Schreiben Sie.

Termine finden

→ A 4

habe ich Zeit • Schön, dass Sie anrufen • aber ab zwei Uhr habe ich Zeit • Sie sprechen mit
Das geht leider nicht • das passt mir gut • Hier ist Ines Fischer
der Vormittag passt bei mir überhaupt nicht

● TechnoData. _____ Sieglinde Bock.

○ Guten Morgen, Frau Bock! _____ .

● _____, Frau Fischer. Sehen wir uns um zwölf?

○ _____, da habe ich eine Besprechung.

Aber heute Vormittag _____.

● Nein, _____. Geht es bei Ihnen auch um eins?

Dann essen wir zusammen.

○ Da kann ich auch nicht, _____.

● Ja, _____. Ich komme dann um zwei.

Ü 4   Wäsche waschen – wie geht das?

Funktionen
beschreiben

→ A 6

> „Start" drücken • Waschtemperatur wählen und einstellen
> Wäschetrommel mit Schmutzwäsche füllen • Tür schließen
> Waschpulver in Waschpulverbehälter füllen • die Tür öffnen

1. Zuerst muss man _____ .

2. Dann _____ .

3. Danach _____ .

4. Dann _____ .

5. Anschließend _____ .

6. Zum Schluss _____ .
   Fertig!

Ü 5   Schreiben Sie Sätze.

Stellung nehmen

→ A 8

1. Mir gefällt es (nicht), _____ .

   (die / wenn / Leute / im / oder / im / laut / Bus / telefonieren / Zug)

2. Ich finde (nicht), _____ .

   (dass / Handys / in / man / öffentlichen / soll / ausschalten / Räumen)

3. Mich nervt es (nicht), _____ .

   (in / dauernd / klingeln / wenn / Restaurants / Handys)

4. Ich finde es (nicht) richtig, _____ .

   (Telefonieren / beim / verboten / ist / dass / Autofahren)

5. Ich finde es (nicht) total blöd, _____ .

   (Spazierengehen / Leute / wenn / beim / oder / im / telefonieren / Supermarkt)

Ü 6 Kombinieren Sie. (Es gibt verschiedene Möglichkeiten.)

Termine finden

→ A 12

1. Treffen wir uns morgen Abend?
2. Wann hast du Zeit?
3. Geht es am Dienstag?
4. Passt 10.00 Uhr?
5. Kannst du morgen Vormittag?

A Ja, wann?
B Ja, um acht?
C Morgen kann ich leider nicht.
D Nein, das geht leider nicht.
E Geht es auch am Nachmittag?
F Ja, das passt gut.
G Am Montag und am Mittwoch.

1.	2.	3.	4.	5.
A,				

Ü 7 Ergänzen Sie.

Medien

→ A 13

Schöne neue Welt

Heute geht nichts mehr ohne Geräte und Maschinen. Wir lassen uns mit _____ (1) vom

_____ (2) wecken. Wenn wir unter der Dusche sind, läuft unsere Lieblingsmusik

vom _____ (3). Beim Frühstück lesen wir die _____ (4). Wer die

neuesten Nachrichten erfahren will, macht das _____ (5) an oder schaltet den

_____ (6) ein. Im Bus nehmen wir das _____ (7) aus der Tasche und

verschicken ein paar SMS. Kein Büro funktioniert mehr ohne _____ (8). Wir schicken

unsere _____ (9) nicht mehr mit der Post, wir schicken _____ (10), weil es

schneller geht. Kommen wir nach Hause, gehen wir erst mal zum _____ (11)

und hören, wer angerufen hat. Dann setzen wir uns vor den Fernseher, nehmen die

_____ (12) in die Hand und zappen durch die Programme. Oder wir schalten

unseren _____ (13) ein und surfen im Internet.

Ü 8 Welches Wort passt nicht?

1. der Computer – die Briefmarke – die Tastatur – die Maus
2. der Brief – die Briefmarke – die Post – die E-Mail
3. der Anrufbeantworter – der Kugelschreiber – der Bleistift – die Tastatur
4. das Dokument – das Video – die Rechnung – der Brief
5. der Drucker – der Anrufbeantworter – der Schreibtisch – der Fotokopierer

Bürokommunikation
→ A 14

Ü 9 Verbinden Sie die Sätze mit „deshalb".

1. Der alte Computer ist kaputt – einen neuen gekauft (ich)
2. Er ist krank – nicht zur Arbeit gehen (er)
3. Der Brief ist wichtig – gleich zur Post bringen (sie)
4. Sein Handy ist immer an – immer erreichbar sein (er)
5. Sie hat Kopfschmerzen – eine Aspirin nehmen (sie)

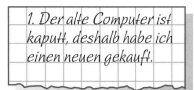
1. Der alte Computer ist kaputt, deshalb habe ich einen neuen gekauft.

Hauptsatz +
Hauptsatz mit
„deshalb"
→ A 20

Ü 10 Ordnen Sie zu und schreiben Sie Sätze mit „damit".

1. _A,_ Er schaltet sein Handy aus.
2. _____ Er macht einen Kurs.
3. _____ Sie trinkt abends ein Glas Milch.
4. _____ Er steht früher auf.
5. _____ Er arbeitet nicht mehr so viel.

A Er kann in Ruhe frühstücken.
B Er hat mehr Zeit für seine Familie.
C Er kann mit den neuen Computerprogrammen arbeiten.
D Er hat seine Ruhe.
E Sie kann besser einschlafen.

Satz: Nebensatz
mit „damit"
→ A 21

1. Er schaltet sein Handy aus, damit er …

Ü 11 Ergänzen Sie Sätze mit „es".

1. Ich muss einen Pullover anziehen. *Es ist kalt* . _____
2. Gehst du bitte an die Tür? _____ .
3. _____? – Mir geht es sehr gut, danke.
4. Wir brauchen einen Schirm. _____ .
5. Warum hast du das gesagt? – Entschuldige bitte, _____ .
6. Kinder, ihr müsst jetzt ins Bett. _____ .

Verwendung
von „es"
→ A 22

Ihre Sprache. Schreiben Sie.

Wortschatz-Hitparade

Nomen

Absage, die, -n	_____	Kaffeemaschine,	
Anruf, der, -e	_____	die, -n	_____
Benimm-Regel, die, -n	_____	Kneipe, die, -n	_____
Besprechung, die, -en	_____	Mail, die/das, -s	_____
Blick, der, -e	_____	Mailbox, die, -en	_____
Briefkasten, der, "-	_____	Maus, die, "-e	_____
Briefmarke, die, -n	_____	Medien, die (Pl.)	_____
Drucker, der, -	_____	Netz, das, -e	_____
DVD-Player, der, -	_____	Ordner, der, -	_____
Fotokopierer, der, -	_____	Ritual, das, -e	_____
Funktion, die, -en	_____	Schreibmaschine,	
Vorschlag, der, "-e	_____	die, -n	_____
Gegenvorschlag,		SMS, die, -	_____
der, "-e	_____	Stress, der	_____
Handy, das, -s	_____	Zusage, die, -n	_____
Kabel, das, -	_____		

Verben

abhören	_____	einstecken	_____
ausdrucken	_____	empfangen	_____
ausschalten	_____	speichern	_____
eingeben	_____	stecken	_____
einschalten	_____	weiterleiten	_____

Andere Wörter

erneut	_____	neulich	_____
gefährlich	_____	verboten	_____
knapp	_____	wegen	_____

Ü 12 „Mein Medienalltag." Sammeln Sie Wörter und Ausrücke. Benutzen Sie auch die „Wortschatz-Hitparade".

Wörter
thematisch
ordnen

Ü 13 Schreiben Sie in Ihrer Sprache.

	Ihre Sprache:
Wie funktioniert das?	_____
Was muss ich machen, wenn ...?	_____
Wie geht das?	_____
Einverstanden!	_____
Guter Vorschlag!	_____
So ein Unsinn!	_____
Ich rufe wegen ... an.	_____
Schön, dass Sie anrufen.	_____
Passt 14.00 Uhr / der Vormittag / der Dienstag?	_____
Geht es am Nachmittag / morgen / nächste Woche?	_____
Das geht leider nicht.	_____
Ja, dass passt mir gut.	_____
Ja, da kann ich.	_____

Wichtige Sätze
und Ausdrücke

Ü 14 Meine Wörter und Sätze. Schreiben Sie.

Heimat

Ü 1 Markieren Sie die Wörter und schreiben Sie die Sätze.

„Heimat"
definieren

→ A 1

herr / greiner / ist54jahrealtschreinervonberufundwohntseit40jahrenamgleichen ortfürihnbedeutenseinewohnungundseindorfheimaterfühltsichzuhausewenner seinendialektsprechenkann

Herr Greiner _____

_____

_____

Ü 2 Schreiben Sie Sätze.

→ A 1

1. Graf / heiße / Ich / Sabrina 2. alt / bin / 32 / und / Ich / Jahre / arbeite / Mode-Designerin / als

3. ständig / Ich / unterwegs / bin / Berlin / von / nach / London / und / Paris 4. Wenn / Hause / ich /

Laptop / fühle / mich / zu / ich / kann / meinen / anschließen 5. Heimatgefühle / keine / für / habe /

Ich / Zeit / aber / aus / etwas / Kindheit / meiner / ich / immer / dabei / habe

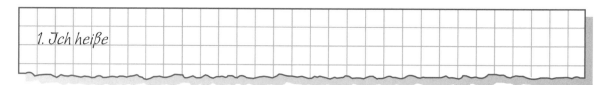

1. Ich heiße

Ü 3 Ergänzen Sie.

→ A 1

A

Rosanna Rossi, 36, To_____ von ital_____ Gastar_____, ist in

Bochum geb_____ und aufge_____. Jed___ Bes_____ bei den

El_____ ist wie eine Rei___ in ih___ zwe_____ Hei_____ – vor all___, wenn es

ihr Liebl_____ess___ gibt.

B

George W. Adoube ko_ _ _ aus Gh_ _ _ und sp_ _lt se_t ein_m h_lb_n J_hr in

De_ _s_ _l_nd F_ßb_ll. An se_n_m J_b g_f_llt i_m f_st a_ _es, a_er sei_ _

F_m_l_e u_d se_ _e Feu_ _e f_hl_n i_m. Ab_ _ er h_t zw_ _ D_ng_, die i_m

g_g_n d_s He_mw_h he_f_n, s_gt er un_ l_cht.

Ü 4 Ordnen Sie zu.

Über Heimat
sprechen

→ A 4

1. _E_ Ich mag richtige Volksmusik,

2. ___ Ich meine die Heimatlieder,

3. ___ Ich habe immer ein kleines Stück
Heimat dabei,

4. ___ Den alten Teddybär haben mir meine Eltern

5. ___ Meine Lieblingsspeise ist aus Italien,

A egal wo ich gerade bin.

B sie schmeckt köstlich und ist ganz einfach.

C zu meinem dritten Geburtstag
geschenkt.

D die die Leute im Dorf noch spielen und singen.

E aber nicht die aus dem Fernsehen, das ist Mist.

Ü 5 Lesen Sie und antworten Sie.

Lesen testen

→ A 10

Patricio ist 23 Jahre alt und kommt aus Chile. Als er acht Jahre alt war, musste er seine Heimat verlassen, weil in Chile der Diktator Pinochet an die Macht kam. Heute hat er eine zweite Heimat in Deutschland, genau gesagt in Zell, denn viel mehr als diese Stadt kennt er in Deutschland nicht. Als er mit seiner Familie hierher kam, hat er versucht, wie ein normaler Zeller zu sein. „Das war Quatsch!", findet er heute, denn „ich habe ja nicht einmal gewusst, was ein richtiger Zeller ist". Er meint, dass er sich nur an einem Ort zu Hause fühlen kann, den er gut kennt.

1. Warum musste Patricio seine Heimat verlassen?

   _____

2. Wie alt war er damals?

   _____

3. Wo hat er eine zweite Heimat gefunden?

   _____

4. Was findet er heute „Quatsch"?

   _____

5. Wie erklärt Patricio „zu Hause"?

   _____

Ü 6 a) Finden Sie die Fehler und korrigieren Sie.

Heimat

→ A 11

bin

Ich ~~in~~ Leipzig aufwachsen. Ich viel gespielen mit mein Geschwistern und meinen Freunden. Liebe ich diesen Ort, weil dort ich hatte eine glückliche Kindheit. Wenn war ich 14 Jahr alt, die ganze Familie nach Düsseldorf gezogen. Ich mich überhaupt nicht wohl gefühlt und schreckliches Heimweh hatte. Bald ich hatte auch Probleme in die neue Schule. Einige Mitschüler und auch die Lehrer haben über mich lachen. Langsam ich habe wieder Kontakt gefinden. Erst nach einigen Jahre Düsseldorf mein neues Zuhause geworden ist.

b) Schreiben Sie den Text richtig.

Ich bin in Leipzig _____

_____

_____

_____

_____

_____

_____

Ü 7 Was passt nicht? Markieren Sie.

Wohnen

→ A 12

1. Die Wohnung ist *hell/modern/elektrisch*.

2. Am Stadtrand *liegen/klingeln/wohnen*.

3. Eine Wohnung *liegen/mieten/kündigen*.

4. Einen Vertrag *machen / sauber machen / unterschreiben*.

5. *Den Balkon / Die Treppe / Den Lift* nehmen.

6. Das Haus hat *zwei Stockwerke /5 Zimmer / einen Vertrag*.

7. Das Sofa ist *gemütlich/billig/möbliert*.

8. Ich muss *die Wohnung / die Kündigung / die Terrasse* sauber machen.

Ü 8 Ergänzen Sie die Personalpronomen und Possessiv-Artikel.

1. Herr Greiner sagt, dass _er_ (1) mit Heimat Sprache verbindet. _____ (2) denkt auch an _sein_ (3) Dorf

   und die Berge. _____ (4) Dialekt ist _____ (5) Sprachheimat, deshalb denkt er zuerst an _____ (6)

   Umgebung, dann erst an _____ (7) Land.

2. Frau Graf hat auch Heimatgefühle. _____ (1) mag Großstädte und _____ (2) Wohnung in Zürich ist ein

   wichtiges Stück Heimat für _____ (3).

3. Frau Rossi ist in Bochum aufgewachsen, aber _____ (1) Eltern sind vor 40 Jahren als italienische Gastar-

   beiter nach Deutschland gekommen. Immer wenn _____ (2) Mutter kocht, fühlt _____ (3) sich zu Hause.

Redewiedergabe: Possessiv-Artikel

→ A 16

Ü 9 Schreiben Sie die Sätze in der direkten Rede.

1. Petra sagt, das Café ist fast ihr Zuhause. Da kennt sie alle und alle kennen sie.

   „Das Café ist fast mein Zuhause ...“ _____

   _____

→ A 16

2. Eine Studentin sagt, sie freut sich über ihre Wohnung, weil sie hell und freundlich ist und niemand sie
   dort stört.

   Ich _____

   _____

3. Ein Mann erzählt, dass er mit seiner Freundin eine große Wohnung gemietet hat. Sie haben fast alles
   selbst renoviert.

   Ich _____

   _____

4. Herr und Frau Steiner haben vier Kinder und freuen sich über die große Terrasse, die ihr Haus hat.
   Wenn das Wetter schön ist, können sie alle draußen essen.

   Wir _____

   _____

Ü 10 Ergänzen Sie „jemand“, „niemand“, „etwas“, „nichts“ oder „alles“.

1. Möchtest du _____ trinken? – Ja, sehr gern. 2. Kann ich Ihnen noch etwas helfen? – Nein, danke, es

ist _____ fertig. 3. Ich habe dreimal geklingelt, aber _____ hat aufgemacht. 4. Hat schon

_____ auf den Brief geantwortet? 5. Warum isst du denn _____? – Ich habe keinen Hunger.

6. Man kann im Leben nicht _____ haben.

Indefinitpronomen

→ A 17

Ihre Sprache. Schreiben Sie.

Nomen

Art, die, -en	_____	Küchenhilfe, die, -n	_____
Aufgabe, die, -n	_____	Landeskunde, die	_____
Begriff, der, -e	_____	Laptop, der, -s	_____
Bezahlung, die	_____	Lärm, der	_____
Definition, die, -en	_____	Lieblingsessen, das, -	_____
Führerschein, der, -e	_____	Nebenjob, der, -s	_____
Gastarbeiter, der, -	_____	Ordnung, die	_____
Geruch, der, "-e	_____	Quiz, das, -	_____
Haustür, die, -en	_____	Schlüsselwort, das, "-er	_____
Heimat, die	_____	Selbstabholung, die	_____
Heimatgefühl, das, -e	_____	Spedition, die, -en,	_____
Heimweh, das	_____	Strecke, die, -n	_____
Hotelrezeption, die, -en	_____	Symbol, das, -e	_____
Kassenhilfe, die, -n	_____	Team, das, -s	_____
Kenntnis, die, -se	_____	Terrasse, die, -n	_____
Kindheit, die	_____	Vertrag, "-e	_____
Klang, der, "-e	_____		

Verben

anschließen	_____	mitgehen	_____
definieren	_____	sauber machen	_____
einrichten	_____	übrig bleiben	_____
heizen	_____	umziehen	_____
kündigen	_____	wohl fühlen (sich)	_____

Andere Wörter

elektrisch	_____	nebenbei	_____
erwünscht	_____	regional	_____
hörbar	_____	ständig	_____
irgendwie	_____	wahrscheinlich	_____
möbliert	_____	wichtig	_____

Ü 11 Sammeln Sie Wörter und Ausdrücke.
Benutzen Sie auch die „Wortschatz-Hitparade".

vom Balkon
Sonnenuntergang

Wörter
thematisch
ordnen

HEIMAT

Ü 12 Schreiben Sie in Ihrer Sprache.

	Ihre Sprache:	Wichtige Sätze und Ausdrücke
(ständig) unterwegs sein		
Ich kann nichts mit … anfangen.		
vor allem		
auf jeden Fall		
Ich kann ohne … nicht leben.		
Was bedeutet … für dich / für Sie?		
Was gehört für dich / für Sie zu …?		
Schwierige Frage!		
Das ist Mist.		

Ü 13 Meine Wörter und Sätze. Schreiben Sie.

Ü 1 Ordnen Sie.

Auf eine Einladung reagieren

→ A 1

_1_ Einladung

_____ Die Trauung findet um 11 Uhr in der St. Stephanskirche in Konstanz statt.

_____ Wir freuen uns auf ein schönes Fest.

_____ Wir bitten um eine Nachricht bis zum 30. Juni.

_____ Danach fahren wir mit dem Schiff zur Insel Reichenau und feiern im Restaurant Kreuz.

_____ Petra Wolf und Uwe Hey

_____ Wir heiraten am 27. Juli und möchten euch herzlich einladen.

Ü 2 Ergänzen Sie.

→ A 2

> Ich ja auch • Warum nicht • Ich finde es toll • Das ist aber blöd
> Ach, komm • Wirklich • Das kann ich nicht glauben.

● Andreas, hast du die Karte gesehen? Petra und Uwe heiraten.

○ Petra und Uwe heiraten? _____ (1)? Ist das wahr?

● _____ (2)? Petra möchte schon lange gern ein Kind. Und sie lieben sich.

○ Petra ja, aber Uwe? _____ (3).

● _____ (4), ich freue mich. Uwe ist wirklich nett. _____ (5), dass sie heiraten.

○ _____ (6), und wann ist das Fest?

● Am 27. Juli.

○ _____ (7)!

● Warum?

○ Weil ich für den 27. Juli noch eine andere Einladung habe.

Ü 3 Ordnen Sie zu. (Es gibt mehrere Möglichkeiten.)

→ A 2

1. _____ Linda und Paul heiraten.

2. _____ Ich freue mich für sie.

3. _____ Ich habe am gleichen Tag einen anderen Termin.

4. _____ Max kann vielleicht nicht kommen.

A Ach, nein!

B Ich finde es auch schön.

C Das kann ich fast nicht glauben.

D Das ist aber blöd!

E Ist das wahr?

F Wirklich?

G Das ist aber schade.

Ü 4   Ordnen Sie die Sätze und schreiben Sie den Brief korrekt.

→ A 4

Sehr geehrte Frau Beyer,

Ich wünsche Ihnen auch in Zukunft viel Erfolg und hoffe weiterhin auf gute Zusammenarbeit. Ich möchte mich deshalb entschuldigen und wünsche Ihnen und allen Mitarbeitern von TechnoData ein fröhliches Fest. Leider kann ich aus familiären Gründen nicht an Ihrem Fest teilnehmen. ich möchte Ihnen zu Ihrem Jubiläum herzlich gratulieren und mich für die Einladung bedanken.

Mit freundlichen Grüßen

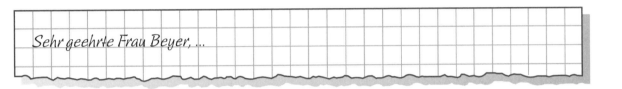

Sehr geehrte Frau Beyer, ...

Ü 5   Ergänzen Sie.

Ratschläge geben

→ A 5

● Will_ _ du wirk_ _ _ _ so zu einem Fe_ _ geh_ _?

○ Warum nicht? Es ist Som_ _ _ und wa_ _ und ...

● Das pa_ _ _ doch nicht zu einer Hoc_ _ _ _ _! So kannst du nicht mitk_ _ _ _ _.

○ Was soll ich denn anz_ _ _ _ _?

● Du kön_ _ _ _ _ das dun_ _ _ Sak_ _ nehmen und dazu die gestr_ _ _ _ _ H_s_.

○ Und welches He_ _?

● Das dun_ _ _bl_ _ _ natürlich. Und verg_ _ _ die Kra_ _ _ _ _ nicht.

Ü 6   Ordnen Sie den Dialog und schreiben Sie.

Komplimente machen

→ A 6

Gabi

Danke.
Findest du wirklich?
Und die Ohrringe?
Findest du, dass die Schuhe passen?

Andreas

Die passen sehr gut, du siehst super aus.
Kompliment!
Super, das sieht toll aus.
Komm, dann gehen wir!

Ü 7 Schreiben Sie die Sätze.

Über Feste sprechen

→ A 7

1. Lichtern – schmückt – Zu/An – Weihnachten – Familien – man – in – Tannenbaum – vielen – einen – bunten – mit – Kugeln – und

   Zu/An Weihnachten _____

   _____.

2. Erwachsene – dem – Weihnachtsbaum – Unter – liegen – die – für – Kinder – Geschenke – und

   Unter _____

   _____.

3. verstecken – Zu/An – Ostern – für – die – Kinder – die – Eltern – und – Süßigkeiten – im – Haus – Garten – oder – im — bunte – Eier

   Zu/An Ostern _____

   _____.

4. man – Am – Dezember – 31. – feiert – Silvester

   Am _____.

5. Mitternacht – gutes – Um – wünscht – sich – ein – Jahr – man – neues

   Um _____.

Ü 8 Ergänzen Sie.

Gratulation und Komplimente

→ A 12

1. _____ Gute zum Geburtstag! 2. _____ Glückwunsch! 3. Frohe _____ / _____! 4. Ich _____ dir! 5. Prosit _____! 6. _____ Glück!

7. Ein gutes _____ Jahr! 8. Alles Liebe und _____! 9. Du siehst _____ aus!

10. Das _____ dir gut!

Ü 9 Kombinieren Sie.

Personen beschreiben

→ A 13

hübsch • modern • lang • der Schuh • die Brille • der Ring • die Haare • der Bart • gestreift
kariert • der Anzug • dick • die Jacke • kurz • der Rock • groß • der Hut • das Hemd
breit • das Kleid • blond • die Krawatte • die Ohrringe • der Schal • das Halstuch
Mann • dünn • die Halskette • die Bluse • klein • Frau

das karierte Hemd,

Ü 10 Ergänzen Sie „hätt-", „würd-" oder „könnt-".

1. Ich _____-e gerne einen Salat und ein Glas Rotwein. 2. _____-est/_____-est du mir bitte

helfen? 3. Er _____-e gern ein größeres Auto. 4. Ich _____-e heute Abend gern ins Kino gehen.

5. _____-en/_____-en Sie später noch einmal anrufen, bitte? 6. _____-e ich zu dieser Hose

auch das blaue Hemd tragen? 7. Wir _____-en euch gern zum Essen einladen. Passt es euch am

Samstag? 8. Ich _____-e gern etwas mit Ihnen besprechen. 9. _____-en Sie 10 Minuten Zeit?

Konjunktiv II

→ A 17

Ü 11 „hätt-", „könnt-" oder „würd-"? Schreiben Sie die Sätze im Konjunktiv II. (Es gibt manchmal mehrere Möglichkeiten).

1. Hast du eine Zigarette für mich?

   Hättest du _____?

2. Geben Sie mir bitte ein Glas Wasser.

   _____

3. Machen Sie bitte das Fenster zu.

   _____

4. Ich nehme einen Kaffee.

   _____

5. Kannst du mir etwas aus der Stadt mitbringen?

   _____

6. Gibst du mir die Zeitung, bitte?

   _____

7. Seid bitte pünktlich.

   _____

→ A 17, A 18

Ü 12 Richtig oder falsch? Kreuzen Sie an.

	R	F
1. Der Baum wird geschmückt.	☐	☐
2. Die Leute werden getanzt.	☐	☐
3. Am 31. Dezember wird Silvester gefeiert.	☐	☐
4. Am Weihnachtsabend werden Lieder gesungen.	☐	☐
5. Die Kinder werden gefreut.	☐	☐

Passiv verstehen

→ A 19

Ihre Sprache. Schreiben Sie.

Wortschatz-Hitparade

Nomen

Anlass, der, "-e	_____	Heiligabend, der	_____
Anrede, die, -n	_____	Hochzeit, die, -en	_____
Bart, der, "-e	_____	Kompliment, das, -e	_____
Christ, der, -en	_____	Krawatte, die, -n	_____
Club, der, -s	_____	Lamm, das, "-er	_____
Fastenzeit, die	_____	Mitternacht, die	_____
Festessen, das, -	_____	Muttertag, der, -e	_____
Feuerwerk, das, -e	_____	Neujahr, das	_____
Jubiläum, das, Jubiläen	_____	Ohrring, der, -e	_____
Frühlingsanfang, der	_____	Osterfest, das	_____
Frühlingsfest, das, -e	_____	Ring, der, -e	_____
Geburtstagsfest, das, -e	_____	Silvester, das/der	_____
		Tannenbaum, der, "-e	_____
Glückwunsch, der, "-e	_____	Weihnachten, das	_____
Halskette, die, -n	_____	Wunsch, der, "-e	_____
Halstuch, das, "-er	_____		

Verben

absagen	_____	übernachten	_____
anstoßen	_____	verstecken	_____
brennen	_____	wünschen	_____
schmücken	_____		

Andere Wörter

blöd	_____	hoffentlich	_____
blond	_____	höflich	_____
emotional	_____	neutral	_____
familiär	_____	sachlich	_____
formell	_____	traditionell	_____

Ü 13 Sammeln Sie Wörter und Ausdrücke.
Benutzen Sie auch die „Wortschatz-Hitparade".

Wörter
thematisch
ordnen

Ü 14 Schreiben Sie in Ihrer Sprache.

Ihre Sprache:

Wichtige Sätze
und Ausdrücke

Ich möchte / Wir möchten dich/euch/Sie

herzlich einladen. _____

Wirklich? – Ist das wahr? _____

Das kann ich nicht glauben. _____

Das ist ja blöd! _____

Das ist aber schade! _____

Was machen wir jetzt? _____

Herzlichen Glückwunsch! _____

Alles Gute! – Viel Glück! _____

Frohe Weihnachten/Ostern! _____

Ein gutes neues Jahr! _____

Zum Wohl! _____

Ü 15 Meine Wörter und Sätze. Schreiben Sie.

A2B1 Ausklang und Wiederholung

Ü 1 Ergänzen Sie.

→ Kapitel 1

Meine Sta_ _ ist kle_ _, sie hat nur dreit_ _send E_nw_hn_r. Es gibt ein

paar K_rch_n, R_st_ _r_nts, C_fés, ein gr_ß_s E_nk_u_sz_ntr_m, viele

kl_ _ne G_sch_ft_, zwei Ki_o_ und im Z_ntr_m einen sehr sch_n_n

M_rkt_l_tz. In der N_he ist ein kl_ _ner, sehr sch_ner Se_, da g_he ich

oft sp_z_ _ren. Im S_ _mer kann man da auch schw_m_en. Manchmal n_hme ich ein B_ch m_t oder

ich s_tze einfach nur _m S_e, scha_e in die L_nd_ch_ft, betr_chte die Bä_me und h_re den V_ge_n zu.

T_ _rist_n g_bt es fast keine, denn es g_bt keine H_t_ls und keine S_h_nsw_rd_gkeit_n. Viele j_nge

L_ _ _e zi_h_n in die Gr_ßst_dt, denn sie f_nd_n das L_b_n hier zu l_ngw_il_g.

Ü 2 Was erzählt Thomas? Schreiben Sie die Sätze mit „dass".

→ Kapitel 2

„Ich bin 1965 in der Nähe von Freiburg geboren. Nach der Schule habe ich Wirtschaft studiert. Ich wollte die Welt sehen und habe für eine deutsche Firma zuerst in Amerika und dann in Japan gearbeitet. Aber dann wurde mein Vater krank und mir war klar, ich muss nach Hause und meiner Mutter auf dem großen Bauernhof helfen. Ein Jahr später habe ich Katja kennen gelernt und ich wusste, ich gehe nicht mehr weg. Heiraten wollte ich nie, aber ich habe zwei wunderbare Kinder, und ich bin glücklich mit meiner Familie und mit diesem neuen Leben als Bauer."

Thomas erzählt, dass er

Ü 3 Schreiben Sie die Sätze.

→ Kapitel 3

1. gern / gefährlich / fliegt / Das / Ehepaar / Müller / weil / mehr / es / ist / nicht
2. finde / Zug / fahren / schöner / Ich / viel / Auto / fahren / als / es / ist / denn / bequemer
3. Auto / Max / lieber / fährt / praktischer / ist / weil / es
4. Flughäfen / findet / Tanja / Bahnhöfe / und / interessant / total
5. Stress / Thomas / Für / bedeuten / Bahnhöfe / weil / Uhren / es / so / gibt / dort / viele / überall
6. gern / nicht / Tamara / fährt / weg / denn / nicht / Koffer / sie / gern / packt
7. machen / Europa / Schiffsreise / Frau / Meier / möchte / einmal / eine / von / nach / Amerika

1. Das Ehepaar Müller

Ü 4 Ergänzen Sie die Endungen.

1. Wie sieht ein typisch___ Schulalltag aus? 2. Ich gehe in eine gut___ Schule. 3. Es gibt auch ein paar
blöd___ Fächer. 4. Die Lehrer sind nett___, meine Mitschüler auch. 5. Eva hat ein interessant___ Prakti-
kum in der Schweiz gemacht. 6. Mit der fremd___ Sprache hatte sie am Anfang Probleme. 7. In der
sechst___ Stunde haben wir Geschichte. 8. Herr Schmidt war kein gut___ Schüler. 9. Jetzt hat er eine
toll___ Arbeit als Gärtner. 10. Er weiß, dass gut___ und gesund___ Früchte nur auf einem gesund___
Boden wachsen.

→ Kapitel 4

Ü 5 Ergänzen Sie die Präpositionen und/oder die Artikel.

1. Irene und Jan waren _____ Berlin. 2. Sie sind _____ _____ Zug gefahren. 3. _____ ersten Tag gingen sie
zu Fuß durch _____ Innenstadt. 4. Sie waren auch _____ Museum. 5. Sie sahen Reste von _____ Berliner
Mauer. 6. Herr Gerlach lebte vor _____ Maueröffnung in _____ DDR. 7. 1961 baute die DDR-Regierung
eine Mauer _____ Westberlin. 8. Der 9. November 1989 war der schönste Tag _____ seinem Leben. 9. Jan
wollte unbedingt _____ Potsdamer Platz, weil er sich für Architektur interessiert. 10. Nächstes Jahr möch-
ten Jan und Irene _____ Warschau fahren.

→ Kapitel 5

Ü 6 Ergänzen Sie die Relativpronomen.

1. Das ist ein Foto, _____ ich auf der Geburtstags-
feier meiner Oma gemacht habe. 2. In der Mitte
ist meine Oma, _____ hier 85 Jahre alt wurde.
3. Links sieht man meine Tante Lisa, _____ in
Mexiko lebt. Sie ist total nett. 4. Hier hinten, das
ist Juan, der Mann von Tante Lisa, _____ zum ersten
Mal in Deutschland war. 5. Und hier, rechts von
Oma, das ist Pedro, mein Cousin, _____ ich erst auf
Omas Fest kennen gelernt habe. 6. Der Mann und
die Frau, _____ man ganz rechts im Bild sieht, das
sind meine Eltern.

→ Kapitel 6

Ü 7 Wie heißen die Fragen? Schreiben Sie.

→ Kapitel 7

1. _____ Ich arbeite bei der Firma ... / Ich habe

   im Moment keine Arbeit.

2. _____ Unsere Firma macht/produziert ...

3. _____ Seit 5 Jahren.

4. _____ Ich arbeite dort in der Personalabteilung.

5. _____ Das Schöne ist ... / Mir gefällt, dass ...

6. _____ 40 Stunden pro Woche.

7. _____ Ich habe 28 Tage Urlaub im Jahr.

Ü 8 Was ist richtig? Markieren Sie.

→ Kapitel 8

1. *Wenn/Als/Seit* man im Ausland arbeiten möchte, braucht man eine Arbeitserlaubnis.

2. *Als/Bis/Seit* Lilit sich erinnern kann, liebt sie Geschichten.

3. Sie hat mit dem Deutschlernen angefangen, *wenn/bis/als* sie 10 Jahre alt war.

4. Ernesto möchte ein Fußballspiel sehen, *wenn/seit/bis* er in Deutschland ist.

5. *Bis/Wenn/Als* Nataša nach Österreich kam, war sie ganz allein.

6. *Seit/Als/Wenn* ich im letzten Urlaub meinen Pass verloren hatte, hat mir die Botschaft geholfen.

7. *Seit/Bis/Als* er in Irland war, liebt er das Meer.

8. *Wenn/Als/Seit* sie zum ersten Mal in China war, war ihr alles ganz fremd.

Ü 9 Ergänzen Sie.

→ Kapitel 9

1. Ich habe einen Com_____, weil ich gern im In_____ surfe. 2. Damit ich weiß, wer angerufen hat,
höre ich am Abend zuerst den Anru_____ ab. 3. Ich finde es schön, dass ich mit meinem neuen
Ha_____ auch fotografieren kann. 4. Morgens im Büro checke ich zuerst die E-M_____. 5. Auf meiner
Mai_____ waren fünf neue Nachrichten. 6. Beim Frühstück lese ich gern die Zei_____. 7. Es stört mich,
wenn beim Essen der Fer_____ läuft. 8. Ich brauche keinen DVD-_____, ich gehe lieber ins K_____.

Ü 10 Markieren Sie die Wörter und schreiben Sie die Sätze.

ich / heiße / maria / goncalves-schneiderundbinbrasilianerinmeinmannistdeutscherichlebeseitzehnjahren   → Kapitel 10

indeutschlandamanfangwarmirallesfremdundichhatteoftheimwehmirfehltendiefamiliemeinefreundediesonne

unddiewärmeheutehabeichhierfreundeundfühlemichwohlunserekindersindhiergeborenundaufgewachsensie

sprechenbeidesprachenundfahrengernnachbrasilienaberihreheimatistdeutschland

Ich heiße _____

_____

_____

_____

_____

_____

Ü 11 Wie heißen die Wörter? Schreiben Sie.

1. gnudalnEi _____
2. raheiten _____
3. tseF _____
4. riegranetul _____
5. mäubilJu _____

6. kunftuZ _____
7. netchanWeih _____
8. maubnaTnen _____
9. restnO _____
10. jahreuN _____

11. restliSev _____
12. mentlipmoK _____
13. schnuwckülG _____
14. kreFeurew _____

→ Kapitel 11

Ü 12 Schreiben Sie einen kurzen Text.

→ Kapitel A2B1

Steckbrief

Name:	*Paola Schneider*
Alter:	*23 Jahre*
Wohnort:	*Zürich*
Ausbildung:	*Hotelfachschule*
Beruf:	*Hotelkauffrau, kleines Hotel in Zürich*
Arbeit:	*macht Spaß, lernt viele Menschen kennen, will später im Ausland arbeiten*
Interessen:	*Reisen, Musik, spielt Trompete in einer Jazzband*

Das ist

Sind Sie zufrieden mit Ihrem Deutschkurs?

Ja   ☐

Warum? _____

Nein   ☐

Warum? _____

Welches Thema hat Ihnen am besten gefallen?

_____

_____

Welche deutschen Wörter finden Sie schön?

_____

_____

_____

Sehen Sie die Seiten mit „Training" an.
Welche Strategien haben Ihnen beim Lernen geholfen?

Beim Lesen:

_____

Beim Sprechen:

_____

Beim Hören:

_____

Beim Schreiben:

_____

_____

Was möchten Sie beim nächsten Kurs anders machen?

1. _____
2. _____
3. _____

...

Lösungsschlüssel

Kapitel 1

Ü 1 2. Sprachen, 3. alt, 4. Häuser, 5. Teile, 6. Leute, 7. reichen, 8. verändert, 9. heute, 10. Zentrum, 11. früher

Ü 2 Ich bin allein durch die Stadt gegangen. Ich habe in Gesichter gesehen und die Luft gerochen. Im Park habe ich Zeitung gelesen und den Vögeln zugehört. Die Sonne ist langsam untergegangen.

Ü 3 1. einer Stadt, 2. Fluss, 3. am Ufer, 4. nichts, 5. den Markt, 6. eine Wurst, 7. den Leuten, 8. spät, 9. Die Sonne, 10. der Mond, 11. ruhiger Tag

Ü 4 Ich heiße Dominique. Ich bin in Südfrankreich aufgewachsen. Zu Hause habe ich mit meinen Eltern meistens Deutsch gesprochen. In den Ferien war ich oft bei meiner Großmutter im Elsass. Mit ihr habe ich Französisch und Deutsch gesprochen. Später habe ich in Freiburg studiert. Dort habe ich viele Freunde. Ich möchte gern noch Italienisch lernen.

Ü 5 2. Hochhaus, 3. Touristeninformation, 4. Bahnhof, 5. Denkmal, 6. Parkplatz, 7. Krankenhaus, 8. Altstadt

Ü 6 1. das Hotel, 2. der Markt, 3. das Stadion, 4. die Gasse, 5. die Brücke, 6. das Hochhaus, 7. das Krankenhaus, 8. der Dom

Ü 7 1. aushören, 2. zulesen, 3. wegsprechen, 4. wegschreiben

Ü 8 1. kommt ... an, 2. ansehen, 3. spricht ... aus, 4. aufmachen, zumachen, 5. schreiben ... ab

Ü 9 1. aber, 2. und, 3. aber, 4. denn, 5. und, 6. aber, 7. denn

Ü 10 1. Ich gehe zum Arzt, denn ich bin krank. 2. Ich trinke gerne Wein und ich esse gerne Pizza. 3. Ich habe kein Auto, aber ich habe ein Fahrrad. 4. Ich mache das Fenster auf, denn die Luft ist schlecht.

Ü 11 a) Ich bin in Köln angekommen. Zuerst bin ich in die Stadt gegangen und habe ein Hotel gesucht. Danach bin ich zum Dom gegangen, denn den wollte ich schon lange einmal sehen.

b) Volker sagt, er ist am Rhein spazieren gegangen und hat ein Museum besucht. Er sagt, die Ausstellung war sehr interessant. Volker erzählt, er hatte ein bisschen Hunger und hat sich in der Fußgängerzone ein Sandwich gekauft und (hat) eine Pause gemacht.

Ü 12 1. Ich habe die Luft gerochen. 2. Ich habe auf einer Bank gesessen. 3. Ich habe ein Museum besucht. 4. Ich bin mit dem Bus gefahren. 5. Ich bin in ein Café gegangen. 6. Ich habe mich wohl gefühlt. 7. Ich habe ein Hotel gesucht.
1. Ich rieche die Luft. 2. Ich sitze auf einer Bank. 3. Ich besuche ein Museum. 4. Ich fahre mit dem Bus. 5. Ich setze mich in ein Café. 6. ich fühle mich wohl. 7. Ich gehe in die Altstadt. 8. Ich suche ein Hotel.

Kapitel 2

Ü 1 Gundi Görg ist in Grissenbach acht Jahre lang in die Schule gegangen. Dann hat sie eine Lehre gemacht und wurde Industriekauffrau. Mit 18 hat sie ihren Freund kennen gelernt und mit 21 hat sie geheiratet. Sie haben bei den Schwiegereltern auf dem Land gewohnt und viel gearbeitet. Ihr Mann war mit diesem Leben zufrieden. Aber Gundi war nicht glücklich.

Ü 2 1. Gundi hat eine gute Stelle bei Mercedes gefunden. 2. Sie hat genau gewusst, dass Geld allein nicht glücklich macht. 3. Gundi hat immer geträumt, dass alles einmal anders wird. 4. Sie sagt, dass sie sich auf dem Land nicht frei gefühlt hat. 5. Mit 30 hat Gundi im Fernsehen eine Sendung über Amnesty international gesehen. 6. Ihr war plötzlich klar, dass sie ein neues Leben wollte.

Ü 3 2. F, 3. G, 4. A, 5. B, 6. D, 7. E

Ü 4 1. ihr Traum, 2. Monate, 3. Amnesty international, 4. Zusammen, 5. Leuten aus Chile, 6. Demokratie, 7. interessant, 8. nicht immer, 9. gesehen, 10. Natur, 11. sehr schön, 12. Berge, 13 Meer

Ü 5 Gundi erzählt, dass ihr Traum plötzlich Realität war und dass sie ein paar Monate später nach Chile gefahren ist und dort längere Zeit für Amnesty international gearbeitet hat. Sie sagt, dass sie zusammen mit vielen Kollegen von Amnesty und Leuten aus Chile für Demokratie, Frieden und Freiheit gearbeitet hat. Sie findet, dass die politische Arbeit sehr interessant war, (dass sie) aber nicht immer leicht (war). Sie sagt, dass sie sehr viel erlebt und gesehen hat, auch das Land mit seinen Kontrasten. Sie erzählt, dass die Natur sehr schön und faszinierend ist: hohe Berge und direkt daneben das Meer.

Ü 6 Nach einem Jahr **ist** Gundi wieder **nach** Deutschland **zurückgefahren**, aber **sie wollte** auch in Deutschland wieder in der Politik arbeiten. **Sie hatte** Glück und **hat** bei der Partei „Bündnis 90/Die Grünen" eine Stelle **bekommen**. Gundi hat noch einmal **geheiratet** und **ein** Kind bekommen. Später möchte **sie** mit ihrem Mann und ihrem Sohn zusammen noch einmal **nach** Lateinamerika fahren.

Ü 7 1. geboren sein, 2. leben, 3. arbeiten, 4. studieren, 5. in die Schule gehen, 6. Träume haben, 7. heiraten, 8. aufwachsen, 9. umziehen, 10. eine Lehre machen, 11. Kinder haben, 12. reisen, 13. glücklich sein, 14. zufrieden sein, 15. Probleme haben, 16. kennen lernen, 17. Liebe/lieben, 18. sich trennen, 19. wohnen, 20. eine Familie haben, 21. weggehen, 22. arbeitslos sein

Ü 8 1. geboren, 2. aufgewachsen, 3. Probleme, 4. reisen, 5. glücklich, 6. getrennt, 7. Lehre, 8. gearbeitet, 9. verdient, 10. kennen gelernt, 11. geheiratet, 12. zufrieden

Ü 9 1. wird, 2. werde, 3. wird, 4. Wirst, 5. werden

Ü 10 1. Peter hat gesagt, dass der Film langweilig war. 2. Wir glauben, dass das Restaurant teuer ist. 3. Er hofft, dass er den Job bekommt. 4. Ich finde, dass meine Kinder wunderbar sind. 5. Es kann sein, dass das ganz normal ist.

Ü 11 1. diese, 2. dieser, 3. Diese, 4. Diesen, 5. Dieser

Kapitel 3

Ü 1 1. ● Schade, dass ihr schon fahren müsst.
○ Ja, wirklich schade, aber wir kommen ja im Herbst wieder.
2. ● Entschuldigung.
○ Ja, bitte?
● Ich habe gerade den Zug nach Hannover verpasst. Wann fährt der nächste, bitte?

Ü 2 1. Regionalzug, 2. fahren, 3. schneller, 4. sicher, 5. teurer, 6. Fahrgäste, 7. Herren, 8. ICE, 9. Abfahrt, 10. Gleis, 11. Minuten, 12. Verspätung, 13. Entschuldigung

Ü 3 Die meisten Leute denken beim Wort Bahnhof zuerst an Fahrpläne, Züge oder schwere Koffer. Und das ist auch normal. Bahnhöfe waren schon immer Orte für Begegnungen. Bahnhöfe in Großstädten sind heute mehr als nur Treffpunkte. In einem großen Bahnhof kann man heute einkaufen wie in einem Einkaufszentrum. Bahnhöfe in Großstädten sind heute auch Orte für Konsum und Kultur.

Ü 4 1. d) = 1, b) = 2, a) = 3, c) = 4
2. c) = 1, b) = 2, d) = 3, a) = 4

Ü 5 1. die Panne, 2. der Bahnsteig, 3. die Abfahrt, 4. der Ausweis, 5. die Autobahn, 6. der Stau, 7. das Gepäck, 8. der Pass, 9. verpassen, 10. starten, 11. ankommen, 12. mieten, 13. abholen, 14. tanken, 15. abfliegen, 16. einsteigen

Ü 6 2. F, 3. G, 4. H, 5. B, 6. I, 7. A, 8. D, 9. C

Ü 7 1. lieber, 2. bequemer, 3. besser, 4. billiger, 5. schneller, moderner, 6. teurer, 7. schneller

Ü 8 1. älter, 2. kleiner 3. groß, 4. lauter, 5. mehr, 6. gut, 7. gern, gesünder, 8. besser

Ü 9 1. denn, 2. weil, 3. denn, 4. weil, 5. denn, 6. denn, 7. weil

Ü 10 1. Weil ich Autofan bin, … 2. …, weil ich lieber Rad fahre. 3. …, weil es dort wärmer ist. 4. …, weil man da viel lernen kann. 5. Weil ich Busfahrer bin, …

Ü 11 2. Weil ich viel arbeite, bin ich abends sehr müde. 3. Weil ich zu dick bin, trinke ich kein Bier mehr. 4. Weil ich mich krank fühle, gehe ich zum Arzt. 5. Weil ich Leute kennen lernen will, mache ich einen Tanzkurs. 6. Weil ich eine große Reise machen will, spare ich.

Ü 12 1. denn, 2. Wenn, 3. Weil, 4. denn, 5. dass

Kapitel 4

Ü 1 Hallo, ich heiße Fabian Krüger und bin 15 Jahre alt. Ich gehe noch in die Schule und besuche das Gymnasium. Manchmal ist es schon ein bisschen langweilig, aber die meisten Lehrer sind in Ordnung. Meine Lieblingsfächer sind Geschichte, Biologie und Mathematik. In meiner Freizeit mache ich Musik. Ich spiele Saxophon in unserer Schülerband. Außerdem bin ich in einer Videogruppe. Das ist echt cool. Wir drehen kurze Filme und schneiden sie selbst am Computer. Alle zwei Jahre kann man unsere Filme dann in einem kleinen Kino sehen. In der Band und in der Videogruppe sind auch meine Freunde. Das ist toll, weil wir da richtig viel Spaß haben. Wir haben auch einen „Manager": meinen Opa. Der ist supernett. Er hat auch das Kino organisiert. Was ich nicht mag ist, wenn Leute schlechte Laune haben, nur rumsitzen und nichts tun. Das nervt mich. Einen Berufswunsch habe ich noch nicht. Musiker, Filmemacher, Ingenieur? Ich weiß es noch nicht. Zuerst mache ich die Schule zu Ende.

Ü 2 *Name:* Fabian Krüger
Alter: 17 Jahre
Schule: Gymnasium
Lieblingsfächer: Geschichte, Biologie, Mathematik
Hobbys: Musik, Videogruppe
Das mag er: Saxophon spielen, Videofilme drehen, mit Freunden Spaß haben
Das nervt ihn: wenn Leute schlechte Laune haben und nur rumsitzen und nichts tun
Das möchte er werden: das weiß er noch nicht

Ü 3 1. F, 2. F, 3. R, 4. R, 5. R, 6. F, 7. R, 8. F

Ü 4 1. Meine Eltern wollten, dass ich Abitur mache. 2. Weil ich arbeiten wollte, habe ich eine Lehre gemacht. 3. Ich bin Gärtner geworden. 4. Jetzt arbeite ich als Gärtner im Projekt „Bodenschutz" und studiere Biologie. 5. Ich habe eine tolle Arbeit in der Natur, und das Studium macht Spaß.

Ü 5 1. Wo arbeitest du/arbeiten Sie? 2. Wo studierst du/studieren Sie? 3. Besuchst du/Besuchen Sie gern Vorlesungen und Seminare? 4. Seit wann machst du/machen Sie das? 5. Macht deine/Ihre Arbeit Spaß?

Ü 6 1. im Jahr 1999, 2. Zuerst, 3. immer, 4. Nach einiger Zeit, 5. sehr früh am Morgen, 6. schon zwei Stunden, 7. Nach der Schule, 8. 2002, 9. Ein Jahr später

Ü 7 1. Geographie, 2. Mathematik, 3. Englisch, 4. Geschichte, 5. Deutsch, 6. Chemie, 7. Musik, 8. Biologie, 9. Kunst, 10. Physik, 11. Sport

Ü 8 1. das Abitur machen, 2. eine Arbeit schreiben/bekommen/beginnen/machen, 3. Fremdsprachen lernen/wählen, 4. ein Studium beginnen/machen/wählen, 5. Noten bekommen, 6. eine Ausbildung wählen/machen/beginnen, 7. lesen lernen, 8. das Zeugnis bekommen/schreiben, 9. einen Test schreiben/machen, 10. Seminare/Vorlesungen besuchen, 11. Ferien machen, 12. Englisch lernen

Ü 9 1. guter, 2. nette, 3. guten, 4. praktische, 5. netten, 6. guter, 7. tolle, 8. wichtige, 9. supernetten, 10. kleinen

Ü 10 1. einen komfortablen, 2. eine wunderschöne, 3. modernen, 4. große, 5. möbliert, 6. große gemütliche, 7. einen kleinen, 8. neues, 9. ein großes

Ü 11 1. der, 2. der, 3. die, 4. ein, einem, der, 5. Die, 6. das, 7. den

Kapitel 5

Ü 1 (1) Irene ist mit ihrem Freund Jan aus (2) Prag nach Berlin gefahren. Die (3) beiden sind zum ersten Mal in (4) der Hauptstadt. Sie haben ein (5) großes Programm. Jan interessiert (6) sich für Architektur und Irene will (7) viele Sehenswürdigkeiten besuchen. Am (8) ersten Tag gehen sie zu Fuß in die Stadt.

Ü 2 1. Wir waren erst *am* Brandenburger Tor und dann *am* Hackeschen Markt und sind jetzt *auf dem* Reichstag. 2. Hast du Lust auf eine Bootsfahrt? *Auf der* Spree kann man *durch das* alte Stadtzentrum fahren. 3. Gehen wir lieber *ins* Museum. 4. Die Museumsinsel ist ganz *in der* Nähe. Die liegt gleich *neben dem* Hackeschen Markt. 5. Wir können *ins* Historische Museum gehen.

Ü 3 1. Berlin, 2. Hauptstadt, 3. Stadtrundfahrt, 4. Sehenswürdigkeit, 5. Stadtzentrum, 6. Tourist, 7. Stadtplan, 8. S-Bahn, 9. Haltestelle, 10. Pause

Ü 4 1. A/C, 2. B/F/G, 3. E/F/G/H, 4. E/F/G, 5. D, 6. A/B/H

Ü 5 1. Die Mauer hat Berlin von 1961 bis 1989 geteilt. 2. Ralf Gerlach hat früher in Ostberlin gelebt. 3. Am 9. November 1989 hat Herr Gerlach im Fernsehen gehört, dass die DDR-Bürger in den Westen reisen dürfen. 4. Er war neugierig und ist mit seiner Frau zur Mauer gefahren.

Ü 6 Um 23 Uhr haben die Grenzsoldaten dann die Mauer geöffnet und die Leute konnten nach Westberlin fahren. Auf der anderen Seite waren die Westberliner und haben die Menschen aus dem Osten mit Blumen und Sekt begrüßt. Herr und Frau Gerlach haben eine Stadtrundfahrt gemacht und sind um 1 Uhr wieder zurückgefahren. Die Leute haben die ganze Nacht gefeiert und alle waren sehr glücklich.

Ü 7 1. Potsdamer Platz, 2. Weltkrieg, 3. Sieger, 4. Bundesrepublik, DDR, 5. Regierung, Mauer, 6. Wiedervereinigung

Ü 8 1. mit, 2. in, 3. mit, 4. in, 5. zum, 6. in, 7. am, 8. ins, 9. vor, 10. auf, 11. im, 12. neben, 13. in, 14. mit, 15. zum, 16. ins

Ü 9 1. in, 2. am, 3. im, 4. mit, 5. zur, 6. in, 7. am, 8. im, 9. auf, 10. Im, 11. nach

Ü 10 1. ... , aber es gab keine Karten mehr. 2. ..., aber sie konnte nicht länger warten. 3. ..., dass er gestern zum Arzt gehen musste. 4. ..., denn wir waren noch nie da.

Ü 11 2. Wolltest, gab, 3. Sagtest, 4. kam, 5. konnte, 6. Durftest, 7. hatte, 8. musste

Kapitel 6

Ü 1 Foto A): Wir finden, dass eine richtige Familie mehrere Kinder haben muss. Kinder machen das Leben interessant. Kinder brauchen Zeit, und es ist nicht immer leicht mit vielen Kindern
Foto B): Für uns ist das eigene Leben wichtiger als die Familie. Wir sind beide sehr aktiv und haben Erfolg im Beruf.

Ü 2 2. Haushalte, 3. Prozent, 4. 1960, 5. 6 Prozent, 6. Gründe, 7. Kinder, 8. Beruf, 9. arbeiten, 10. Scheidungen, 11. kleinere, 12. planen

Ü 3 1. Oma, 2. Eltern, 3. Geschwister, 4. Tochter, 5. Enkel, 6. Großvater, 7. Schwiegertochter, 8. Schwester

Ü 4 2. E, 3. D, 4. B, 5. A

Ü 5 1. Meine Freunde sind meine Familie. 2. Ein Freund ist da, wenn ich ihn brauche. 3. Gute Freundinnen müssen sich nicht jeden Tag sehen. 4. Mit Freunden kann ich am besten über Probleme sprechen. 5. Freunde müssen offen und ehrlich (ehrlich und offen) die Wahrheit sagen.

Ü 6 ● Das ist Florian, mein Bruder. Und das ist Laura.
○ Hallo, Florian. Schön, dass ich dich einmal kennen lerne. Paula hat schon viel von dir erzählt.
■ Ich hoffe, nur Gutes.
○ Aber sicher! Du studierst auch Geschichte?
■ Ja, das stimmt ...

Ü 7 1. Wo war das? 2. Was ist passiert? 3. Was hast du dann gemacht? / Was ist dann passiert? 4. Warst du allein da? 5. Wann war das?

Ü 8 waagerecht: 1. SCHWAGER, 2. NICHTE, 3. NEFFE, 4. COUSIN/COUSINE, 5. TANTE, 6. VATER, 7. ELTERN, 8. MANN, 9. GESCHWISTER, 10. SCHWIEGERVATER, 11. GROßVATER, 12. SOHN, 13. MUTTER, 14. ENKEL/ENKELIN, 15. TOCHTER, 16. FRAU, 17. SCHWÄGERIN
senkrecht: 18. SCHWESTER, 19. ONKEL, 20. OMA, 21. BRUDER

Ü 9 1. Mann/Frau. 2. Tante, Nichte, 3. Schwester/Bruder, 4. Schwägerin, 5. Enkel, 6. Schwiegertochter, 7. Mutter/Vater, 8. Geschwister

Ü 10 1. Alle, 2. beide, viele, 3. jedem, 4. allen/vielen, 5. jeden, 6. Beide, 7. alle

Ü 11 1. sich, 2. sich, 3. wir, uns, 4. ihr, euch, 5. sich, 6. sich, 7. wir, uns

Ü 12 2. E, 3. F, 4. B, 5. A, 6. D, 7. C

Kapitel 7

Ü 1 4, 3, 2, 1, 5

Ü 2 1. selbstständig, 2. gegründet, 3. Anfang, 4. Kunden, 5. Betrieb, 6. Angestellte, 7. Firma, 8. Werkstatt, 9. Erfolg, 10. pünktlich

Ü 3 Ich bin die Chefin. Ich organisiere die Arbeit, bin für das Telefon verantwortlich und muss die Rechnungen schreiben. Ich plane gern und spreche gern mit Mitarbeitern. Mit Behörden verhandeln, Rechnungen schreiben und Steuern bezahlen mag ich nicht. Das Spannende an der Arbeit ist: dass es immer andere Kunden und andere Probleme gibt.

Ü 4 *Absender:* Emilie Schwarz
Straße: Bäckerstraße 25
Telefon: 7659403
Gegenstand: Geburtstagstorte und Blumen
Abholzeitraum: 14.15 bis 14.30 Uhr
Empfänger: Julius Fichte
Straße: Dürerstraße 16

Ü 5 2. E, 3. B, 4. C, 5. A

Ü 6 ● Meier.
○ Hallo, Frau Meier. Hier ist Iris. Kann ich Sabine sprechen?
● Das tut mir leid. Sabine ist nicht da.
○ Wissen Sie vielleicht, wann sie nach Hause kommt?
● Ja, in einer Stunde ist sie bestimmt wieder da. Soll sie dich anrufen?
○ Ja, bitte. Es ist wichtig.
● Ich sag es ihr.
○ Danke, Frau Meier und tschüss.
● Tschüss, Iris.

Ü 7 2. vorbereiten, anmachen, 3. anmachen, flicken, 4. kopieren, aufräumen, 5. schreiben, kopieren, 6. schreiben, telefonieren, 7. machen, anmachen

Ü 8 2. der Bauer, die Bäuerin, 3. der Friseur, die Friseurin, 4. der Kellner, die Kellnerin, 5. der Koch, die Köchin, 6. der Pilot, die Pilotin, 7. der Polizist, die Polizistin, 8. der Musiker, die Musikerin, 9. der Elektriker, die Elektrikerin, 10. der Arzt, die Ärztin

Ü 9 1. Das Schöne ist, dass ich nette Kollegen habe. 2. Das Gute ist, dass ich nicht weit fahren muss. 3. Das Schlechte ist, dass ich am Samstag arbeiten muss. 4. Das Neue ist, dass ich selbstständig arbeiten kann. 5. Das Anstrengende ist, dass ich den ganzen Tag im Büro sitzen muss. 6. Das Spannende ist, dass ich Neues lernen kann.

Ü 10 1. ihre, 2. ihr, ihre, 3. seiner, 4. seine, 5. meiner, 6. meine, 7. unsere, unseren

Ü 11 1. deiner, 2. eurer, 3. meine, 4. mein, meine/unsere, 5. ihrem, 6. Ihr, 7. deine

Ü 12 2. eins, 3. meine, 4. keine, 5. keiner, 6. seiner, 7. ihre

Kapitel 8

Ü 1 1. ..., hat sie mit dem Deutschlernen angefangen. 2. ... und möchte für ein Jahr nach Deutschland. 3. ..., und sie ist ein bisschen nervös. 4. ..., denn sie hat kein Geld.

Ü 2 2. erwarten, 3. freue, 4. interessiert, 5. Firma, 6. Angst, 7. unsicher, 8. fremdes

Ü 3 2. Dann musste sie fliehen und kam nach Österreich. 3. Sie hatte keine Arbeit und konnte die Sprache nicht. 4. Sie hatte Angst vor der Zukunft. 5. Dann wurde sie Beraterin und half bei Problemen von ausländischen Kindern.

Ü 4 1. Kontakt, 2. Hobbys, 3. Sport, 4. Ort, 5. gleiche, 6. langsam, 7. Dialekt, 8. Frag, 9. verstanden

Ü 5 Ich habe mich zuerst sehr verloren gefühlt, als ich als Praktikantin in Taiwan war. Ich konnte noch fast kein Chinesisch, ich habe nur ein paar Schriftzeichen gekannt. Ich habe immer die Leute beobachtet. In der Mittagspause bin ich einfach allen anderen nachgegangen und bin wirklich in die Kantine gekommen. Das war eine gute Erfahrung.

Ü 6 Vor 20 Jahren haben wir den ersten Computer gekauft. Ein Freund hat uns geholfen und den Computer installiert. Er hat uns die ersten Schritte gezeigt. Ich habe lange Zeit überhaupt nichts verstanden.

Ü 7 2. D, 3. E, 4. A, 5. B

Ü 8 ängstlich, (der) Ärger, ärgern (sich), (die) Freude, freuen (sich), fröhlich, glücklich, (die) Hoffnung), hoffen, lieben, nervös, neugierig, (die) Ruhe, ruhig, traurig, zufrieden, verärgert

Ü 9 1. fröhlicher, 2. Probleme, 3. ernst, 4. krank, 5. gelacht, 6. geweint, 7. Mensch, 8. gute Kollegin, 9. ruhig, 10. nervös, 11. zufrieden.

Ü 10 1. Amt, 2. Stempel, 3. Botschaft, 4. Einwohnermeldeamt, 5. Personalausweis, 6. Dokument, 7. Formular, 8. Visum, 9. Ausländerbehörde, 10. Genehmigung

Ü 11 1. **freut** (sich **auf**), 2. **interessiert** (sich **für**), 3. **wartet** (**auf**), 4. **konzentrieren** (sich **auf**), 5. **spricht** (**über**), 6. **erzählt** (**von**), 7. **erinnere** (mich **an**), 8. **träumt** (**von**), 9. **antworten** (**auf**)

Ü 12 2. mit, 3. mit, 4. für, 5. mit, über, 6. über, 7. an, 8. über

Ü 13 1. Als, 2. wenn, 3. Wenn, 4. als, 5. als, 6. wenn, 7. wenn, 8. als

Ü 14 1. Bis, 2. seit, 3. Bis, 4, Seit, 5. bis, 6. Bis, 7. Seit, 8. Seit

Kapitel 9

Ü 1 1. Computer, 2. Passwort, 3. Netz, 4. E-Mails, 5. Mailbox, 6. E-Mails, 7. ausdrucken, 8. lösche, 9. speichere

Ü 2 Frau Fischer hat jeden Morgen den gleichen Stress. Zuerst sieht sie auf den Kalender. Welche Termine hat sie heute? Dann hört sie den Anrufbeantworter ab. Sie notiert alle Anrufe. Termine, Termine, Termine, und alle auf einmal. Um 9.00 Uhr hat sie Kaffeepause, dann muss sie den Termin mit Frau Bock verschieben. Herr Weber möchte ihr die Fotos zeigen, und um 13.00 Uhr trifft sie ihre Freundin Monika zum Mittagessen.

Ü 3
● TechnoData. Sie sprechen mit Sieglinde Bock.
○ Guten Morgen, Frau Bock! Hier ist Ines Fischer.
● Schön, dass Sie anrufen, Frau Fischer. Sehen wir uns um zwölf?
○ Das geht leider nicht, da habe ich eine Besprechung. Aber heute Vormittag habe ich Zeit.
● Nein, der Vormittag passt bei mir überhaupt nicht. Geht es bei Ihnen auch um eins? Dann essen wir zusammen.
○ Da kann ich auch nicht, aber ab zwei Uhr habe ich Zeit.
● Ja, das passt mir gut. Ich komme dann um zwei.

Ü 4
1. Zuerst muss man die Tür öffnen. 2. Dann füllt man die Wäschetrommel mit Schmutzwäsche. 3. Danach füllt man das Waschpulver in den Waschpulverbehälter. 4. Dann schließt man die Tür. 5. Anschließend wählt man die Waschtemperatur und stellt sie ein/muss man die Waschtemperatur wählen und einstellen. 6. Zum Schluss drückt man „Start".

Ü 5
1. ..., wenn die Leute im Bus oder im Zug laut telefonieren.
2. ..., dass man Handys in öffentlichen Räumen ausschalten soll.
3. ..., wenn in Restaurants dauernd Handys klingeln. 4. ..., dass Telefonieren beim Autofahren verboten ist. 5. ..., wenn Leute beim Spazierengehen oder im Supermarkt telefonieren.

Ü 6 1. A/B/C/D/E/F, 2. G, 3. A/B/D/F, 4. D/E/F, 5. A/B/C/D/E/F

Ü 7 Schöne neue Welt
1. Musik, 2. Radiowecker, 3. CD-Player, 4. Zeitung, 5. Radio, 6. Fernseher, 7. Handy, 8. Computer, 9. Briefe, 10. E-Mails, 11. Anrufbeantworter, 12. Fernbedienung, 13. Laptop

Ü 8 2. die E-Mail, 3. der Anrufbeantworter, 4. das Video, 5. der Schreibtisch

Ü 9 2. Er ist krank, deshalb geht er nicht zur Arbeit. 3. Der Brief ist wichtig, deshalb bringt sie ihn gleich zur Post. 4. Sein Handy ist immer an, deshalb ist er immer erreichbar. 5. Sie hat Kopfschmerzen, deshalb nimmt sie eine Aspirin.

Ü 10 1. A, D, 2. C, 3. E, 4. A, B, 5. B, C
1. ..., damit er in Ruhe frühstücken kann/damit er seine Ruhe hat. 2. ..., damit er mit den neuen Computerprogrammen arbeiten kann. 3. ..., damit sie besser einschlafen kann. 4. ..., damit er in Ruhe frühstücken kann/damit er mehr Zeit für seine Familie hat. 5. ..., damit er mehr Zeit für seine Familie hat/damit er mit den neuen Computerprogrammen arbeiten kann.

Ü 11 2. Es hat geklingelt. 3. Wie geht es dir/Ihnen? 4. Es regnet. 5. ..., es tut mir leid. 6. Es ist spät.

Kapitel 10

Ü 1 Herr Greiner ist 54 Jahre alt, Schreiner von Beruf und wohnt seit 40 Jahren am gleichen Ort. Für ihn bedeuten seine Wohnung und sein Dorf Heimat. Er fühlt sich zu Hause, wenn er seinen Dialekt sprechen kann.

Ü 2 1. Ich heiße Sabrina Graf. 2. Ich bin 32 Jahre alt und arbeite als Mode-Designerin. 3. Ich bin ständig unterwegs, von Berlin nach London und Paris. 4. Wenn ich meinen Laptop anschließen kann, fühle ich mich zu Hause. 5. Ich habe keine Zeit für Heimatgefühle, aber etwas aus meiner Kindheit habe ich immer dabei.

Ü 3
A. Rosanna Rossi, 36, Tochter von italienischen Gastarbeitern, ist in Bochum geboren und aufgewachsen. Jeder Besuch bei den Eltern ist wie eine Reise in ihre zweite Heimat – vor allem, wenn es ihr Lieblingsessen gibt.
B. George W. Adoube kommt aus Ghana und spielt seit einem halben Jahr in Deutschland Fußball. An seinem Job gefällt ihm fast alles, aber seine Familie und seine Freunde fehlen ihm. Aber er hat zwei Dinge, die ihm gegen das Heimweh helfen, sagt er und lacht.

Ü 4 2. D, 3. A, 4. C, 5. B

Ü 5 1. Weil in Chile der Diktator Pinochet an die Macht kam. 2. Er war damals acht Jahre alt. 3. In Deutschland, in Zell. 4. Dass er versucht hat, wie ein normaler Zeller zu sein. 5. Er sagt, „zu Hause" ist ein Ort, den er gut kennen muss.

Ü 6 b) Ich **bin** in Leipzig **aufgewachsen. Ich habe** viel mit **meinen** Geschwistern und meinen Freunden **gespielt. Ich liebe** diesen Ort, weil **ich** dort eine glückliche Kindheit **hatte. Als ich 14 Jahre alt war, ist** die ganze Familie nach Düsseldorf gezogen. Ich **habe** mich überhaupt nicht wohl gefühlt und **hatte** schreckliches Heimweh. Bald **hatte ich** auch Probleme **in der neuen** Schule. Einige Mitschüler und auch die Lehrer haben über mich **gelacht.** Langsam **habe ich** wieder Kontakt **gefunden.** Erst nach einigen **Jahren ist** Düsseldorf mein neues Zuhause **geworden.**

Ü 7 2. klingeln, 3. liegen, 4. sauber machen, 5. Den Balkon, 6. einen Vertrag, 7. möbliert, 8. die Kündigung

Ü 8 1. (2) Er, (4) Sein, (5) seine, (6) seine, (7) sein
2. (1) Sie, (2) ihre, (3) sie
3. (1) ihre, (2) ihre, (3) sie

Ü 9 1. „Das Café ist fast mein Zuhause. Da kenne ich alle, und alle kennen mich." 2. „Ich freue mich über meine Wohnung, weil sie hell und freundlich ist und niemand mich dort stört." 3. „Ich habe mit meiner Freundin eine große Wohnung gemietet. Wir haben fast alles selbst renoviert." 4. „Wir haben vier Kinder und freuen uns über die große Terrasse, die unser Haus hat. Wenn das Wetter schön ist, können wir alle draußen essen."

Ü 10 1. etwas, 2. alles, 3. niemand, 4. jemand, 5. nichts, 6. alles

Kapitel 11

Ü 1 1, 3, 5, 7, 4, 6, 2

Ü 2 1. Wirklich, 2. Warum nicht, 3. Das kann ich nicht glauben, 4. Ach, komm, 5. Ich finde es toll, 6. Ich ja auch, 7. Das ist aber blöd!

Ü 3 1. A/C/E/F, 2. B/E/F, 3. A/D/E/F/G, 4. A/D/E/F/G

Ü 4 Sehr geehrte Frau Beyer,
ich möchte Ihnen zu Ihrem Jubiläum herzlich gratulieren und
mich für die Einladung bedanken. Leider kann ich aus familiären
Gründen nicht an Ihrem Fest teilnehmen. Ich möchte mich des-
halb entschuldigen und wünsche Ihnen und allen Mitarbeitern
von TechnoData ein fröhliches Fest.
Ich wünsche Ihnen auch in Zukunft viel Erfolg und hoffe weiterhin
auf gute Zusammenarbeit.
Mit freundlichen Grüßen

Ü 5 ● Willst du wirklich so zu einem Fest gehen?
○ Warum nicht? Es ist Sommer und warm und ...
● Das passt doch nicht zu einer Hochzeit!
So kannst du nicht mitkommen.
○ Was soll ich denn anziehen?
● Du könntest das dunkle Sakko nehmen und dazu die
gestreifte Hose.
○ Und welches Hemd?
● Das dunkelblaue natürlich. Und vergiss die Krawatte nicht.

Ü 6 Dialog Gabi – Andreas:
● Findest du, dass die Schuhe passen?
○ Die passen sehr gut, du siehst super aus. Kompliment!
● Findest du wirklich? Und die Ohrringe?
○ Super, das sieht toll aus.
● Danke.
○ Komm, dann gehen wir!

Ü 7 1. Zu/An Weihnachten schmückt man in vielen Familien einen
Tannenbaum mit Lichtern und bunten Kugeln. 2. Unter dem
Weihnachtsbaum liegen die Geschenke für Kinder und Erwachse-
ne. 3. Zu/An Ostern verstecken die Eltern im Haus oder im Gar-
ten bunte Eier und Süßigkeiten für die Kinder. 4. Am 31. Dezem-
ber feiert man Silvester. 5. Um Mitternacht wünscht man sich ein
gutes neues Jahr.

Ü 8 1. Alles 2. Herzlichen, 3. Ostern/Weihnachten, 4. gratuliere,
5. Neujahr, 6. Viel, 7. neues, 8. Gute, 9. super/toll, 10. steht

Ü 9 *Beispiele:* der dicke Mann, ein gestreifter Anzug, die blonde Frau,
eine moderne Brille, der breite Hut, hübsche Ohrringe

Ü 10 1. hätte, 2. Würdest/Könntest, 3. hätte, 4. würde
5. Würden/Könnten 6. Könnte, 7. würden, 8. würde, 9. Hätten

Ü 11 1. Hättest du eine Zigarette für mich? 2. Könnten/Würden Sie mir
bitte ein Glas Wasser geben? 3. Würden/Könnten Sie bitte das
Fenster zumachen? 4. Ich würde einen Kaffee nehmen./Ich hätte
gerne einen Kaffee. 5. Könntest du mir etwas aus der Stadt mit-
bringen? 6. Könntest/Würdest du mir bitte die Zeitung geben?
7. Könntet ihr bitte pünktlich sein?

Ü 12 1. R, 2. F, 3. R, 4. R, 5. F

Kapitel A2B1

Ü 1 Meine Stadt ist klein, sie hat nur dreitausend Einwohner. Es gibt
ein paar Kirchen, Restaurants, Cafés, ein großes Einkaufszentrum,
viele kleine Geschäfte, zwei Kinos und im Zentrum einen sehr
schönen Marktplatz. In der Nähe ist ein kleiner, sehr schöner See,
da gehe ich oft spazieren. Im Sommer kann man da auch schwim-
men. Manchmal nehme ich ein Buch mit oder ich sitze einfach nur
am See, schaue in die Landschaft, betrachte die Bäume und höre
den Vögeln zu. Touristen gibt es fast keine, denn es gibt keine
Hotels und keine Sehenswürdigkeiten. Viele junge Leute ziehen in
die Großstadt, denn sie finden das Leben hier zu langweilig.

Ü 2 Thomas erzählt, dass er 1965 in der Nähe von Freiburg geboren ist
und nach der Schule Wirtschaft studiert hat. Er sagt, dass er die
Welt sehen wollte und für eine deutsche Firma zuerst in Amerika
und dann in Japan gearbeitet hat. Er erzählt (weiter), dass sein
Vater dann krank wurde und ihm klar war, dass er nach Hause
(muss) und seiner Mutter auf dem großen Bauernhof helfen muss.
Er erzählt, dass er ein Jahr später Katja kennen gelernt hat und
wusste, dass er nicht mehr weggeht. Er sagt, dass er nie heiraten
wollte, aber dass er zwei wunderbare Kinder hat und glücklich ist
mit seiner Familie und mit diesem neuen Leben als Bauer.

Ü 3 1. Das Ehepaar Müller fliegt nicht mehr gern, weil es gefährlich
ist. 2. Ich finde Zug fahren schöner als Auto fahren, denn es ist
viel bequemer. 3. Max fährt lieber Auto, weil es praktischer ist.
4. Tanja findet Flughäfen und Bahnhöfe total interessant. 5. Für
Thomas bedeuten Bahnhöfe Stress, weil es dort überall so viele
Uhren gibt. 6. Tamara fährt nicht gern weg, denn sie packt nicht
gern Koffer. 7. Frau Meier möchte einmal eine Schiffsreise von
Europa nach Amerika machen.

Ü 4 1. typischer, 2. gute, 3. blöde, 4. nett, 5. interessantes,
6. fremden, 7. sechsten, 8. guter, 9. tolle, 10. gute, gesunde,
gesunden

Ü 5 1. in, 2. mit dem, 3. Am, die, 4. im, 5. der, 6. der, der, 7. um,
8. in, 9. zum, 10. nach

Ü 6 1. das, 2. die, 3. die, 4. der, 5. den, 6. die

Ü 7 1. Wo arbeitest du/arbeiten Sie? 2. Was macht/produziert
deine/Ihre Firma? 3. Wie lange arbeitest du/arbeiten Sie schon
dort? 4. Was machst du/machen Sie genau? 5. Was gefällt
dir/Ihnen an deiner/Ihrer Arbeit? 6. Wie viele Stunden pro Woche
arbeitest du/arbeiten Sie? 7. Wie viel Urlaub hast du/haben Sie?

Ü 8 2. Seit, 3. als, 4. wenn, 5. Als, 6. Als, 7. Seit, 8. Als

Ü 9 1. Computer, Internet, 2. Anrufbeantworter, 3. Handy, 4. E-Mails,
5. Mailbox, 6. Zeitung, 7. Fernseher, 8. DVD-Player, Kino

Ü 10 Ich heiße Maria Goncalves-Schneider und bin Brasilianerin. Mein
Mann ist Deutscher. Ich lebe seit zehn Jahren in Deutschland. Am
Anfang war mir alles fremd und ich hatte oft Heimweh. Mir fehl-
ten die Familie, meine Freunde, die Sonne und die Wärme. Heute
habe ich hier Freunde und fühle mich wohl. Unsere Kinder sind
hier geboren und aufgewachsen. Sie sprechen beide Sprachen
und fahren gern nach Brasilien. Aber ihre Heimat ist Deutschland.

Ü 11 1. Einladung, 2. heiraten, 3. Fest, 4. gratulieren, 5. Jubiläum,
6. Zukunft, 7. Weihnachten, 8. Tannenbaum, 9. Ostern,
10. Neujahr, 11. Silvester, 12. Kompliment, 13. Glückwunsch,
14. Feuerwerk

Ü 12 Das ist Paola Schneider. Sie ist 23 Jahre alt und wohnt in Zürich.
Sie hat eine Hotelfachschule besucht und arbeitet als Hotelkauf-
frau in einem kleinen Hotel in Zürich. Ihre Arbeit macht ihr Spaß,
sie lernt viele Menschen kennen und will später im Ausland arbei-
ten. Ihre Interessen sind Reisen und Musik. In ihrer Freizeit spielt
Paola Trompete in einer Jazzband.

Quellen

Archivberlin / Fotoagentur GmbH (Foto: S. 30 re.) – DB AG / Paulus (Foto: S. 18) – Gundi Görg (Foto: S. 14) – Gernot Häublein, Altfraunhofen (Foto: S. 12 o. re., 36 li.) – Images.de / Hampel (Foto: S. 48) – Le Mirador Kempinski, Mont-Pélerin, Schweiz (Foto: S. 27) – Jutta Pfleger, München (Foto: S. 72) – Picture-alliance/dpa (Foto: S. 26) – Paul Rusch, Oberperfuß (Foto: S. 38) – Theo Scherling, München (Zeichnungen: S. 7, 14, 17, 19–21, 23, 26, 29, 37, 41, 47, 49, 53, 55, 56, 59, 65, 67, 71, 73, 76; Fotos: S. 31 Mitte, 33) – akg-images / Gerd Schütz (Foto: S. 32 o.) – Hubert Stadler / CORBIS (Foto: S. 13) – Roland Tännler, Zürich, aus: Brückenbauer 31, 31.7.1996 (Foto: S. 61) – Edelgard Weiler, Düsseldorf (Foto: S. 12 Mitte li.) – Lukas Wertenschlag, Lutry (Foto: S. 6)

Alle hier nicht aufgeführten Fotos: Vanessa Daly, München

Nachschlagen · Lernen · Verstehen

Langenscheidt Großwörterbuch und e-Großwörterbuch Deutsch als Fremdsprache

Das umfassende einsprachige **Wörterbuch** für alle, die Deutsch lernen, jetzt noch informativer und benutzerfreundlicher:

• rund 66.000 Stichwörter und Wendungen

• jedes Stichwort in Blau

• zahlreiche neue Info-Fenster zu deutscher Landeskunde und Grammatik

• lernergerechte, leicht verständliche Erklärungen

• ausführliche Angaben zu Grammatik und Wortzusammensetzungen

• über 2.100 Extra-Hinweise zum korrekten Sprachgebrauch

Infos & mehr
www.langenscheidt.de

Herausgegeben von
Prof. Dr. D. Götz, Prof. Dr. G. Haensch
und Prof. Dr. H. Wellmann
1254 Seiten
Hardcover (mit CD-ROM): 3-468-49036-4
Broschur: 3-468-96705-5

CD-ROM

• schnelle Stichwort- und Volltextsuche

• vielfältige Bearbeitungsmöglichkeiten

• zahlreiche Links zu weiteren Informationen etc.

ISBN 3-468-90954-3

Langenscheidt
...weil Sprachen verbinden

Spannung im DaF-Unterricht

Leichte Lektüren – Jetzt mit Mini-CD

Die bekannten Krimi-Lektüren in 3 Schwierigkeitsstufen jetzt auch zum Hören.
Geeignet für Deutschlernende aller Altersstufen.

Oktoberfest
Stufe 1, illustriert, 32 Seiten
ISBN 3-468-49691-5
mit Mini-CD, ISBN 3-468-49713-X

Oh, Maria ...
Stufe 1, illustriert, 32 Seiten
ISBN 3-468-49681-8
mit Mini-CD, ISBN 3-468-49714-8

Berliner Pokalfieber
Stufe 1, illustriert, 40 Seiten
ISBN 3-468-49705-9
mit Mini-CD, ISBN 3-468-49715-6

Ein Mann zu viel
Stufe 1, illustriert, 32 Seiten
ISBN 3-468-49682-6
mit Mini-CD, ISBN 3-468-49716-4

Elvis in Köln
Stufe 1, illustriert, 40 Seiten
ISBN 3-468-49699-0
mit Mini-CD, ISBN 3-468-49717-2

Der Märchenkönig
Stufe 1, illustriert, 40 Seiten
ISBN 3-468-49706-7
mit Mini-CD, ISBN 3-468-49710-5

Das Gold der alten Dame
Stufe 2, illustriert, 40 Seiten
ISBN 3-468-49683-4
mit Mini-CD, ISBN 3-468-49718-0

Ebbe und Flut
Stufe 2, illustriert, 40 Seiten
ISBN 3-468-49702-4
mit Mini-CD, ISBN 3-468-49719-9

Heidelberger Herbst
Stufe 2, illustriert, 48 Seiten
ISBN 3-468-49708-3
mit Mini-CD, ISBN 3-468-49712-1

Ein Fall auf Rügen
Stufe 3, illustriert, 48 Seiten
ISBN 3-468-49709-1
mit Mini-CD, ISBN 3-468-49726-1

Infos & mehr
www.langenscheidt.de

Langenscheidt
...weil Sprachen verbinden